'사고력수학의 시작'

팡세

pensées

A2

1학년 | 퍼즐과 전략

사고가 자라는 수학

씨투엠

사고력 수학을 묻고
팡세가 답해요

Q: 사고력 수학은 '왜' 해야 하나요?

사고력 수학은 아이에게 낯선 문제를 접하게 함으로써 여러 가지 문제 해결 방법을 아이 스스로 생각하게 하는 것에 목적이 있어요. 정석적인 한 가지 풀이법만 알고 있는 아이는 결국 중등 이후에 나오는 응용 문제에 대한 해결력이 현저히 떨어지게 되지요. 반면 사고력 수학을 통해 여러 가지 풀이법을 스스로 생각하고 알아낸 경험이 있는 아이들은 한 번 막히는 문제도 다른 방법으로 뚫어낼 힘이 생기게 된답니다. 이러한 힘을 기르는 데 있어 사고력 수학이 가장 크게 도움이 된다고 확신해요.

Q: 사고력 수학이 '필수'인가요?

No but Yes! 초등 수학에서 가장 필수적인 것은 교과와 연산이지요. 또 중등에서의 서술형 평가를 대비하기 위한 서술형 학습과 어려운 중등 도형을 헤쳐나가기 위한 도형 학습 정도를 추가하면 돼요. 사고력 수학은 그 다음으로 중요하다고 할 수 있어요. 다만 만약 중등 이후에도 상위권을 꾸준하게 유지하겠다고 하시면 사고력 수학은 필수랍니다.

Q: 사고력 수학, 꼭 '어려운' 문제를 풀어야 하나요?

No! 기존의 사고력 수학 교재가 어려운 이유는 영재교육원 입시 때문이었어요. 상위권 중에서도 더 잘하는 아이, 즉 영재를 골라내는 시험에 사고력수학 문제가 단골로 출제되었고, 이에 대비하기 위해 만들어진 것이 초창기 사고력 수학 교재이지요. 하지만 모든 아이들이 영재일 수는 없고, 또 그래야할 필요도 없어요. 사고력 수학으로 영재를 확실하게 선별할 수 있는 것도 아니에요. 따라서 사고력 수학의 원래 목적, 즉 새로운 문제를 풀 수 있는 능력만 기를 수 있다면 난이도는 중요하지 않답니다. 오히려 어려운 문제는 수학에 대한 아이들의 자신감을 떨어뜨리는 부작용이 있다는 점! 반드시 기억해야 해요.

Q: 사고력 수학 학습에서 어떤 점에 '유의'해야 할까요?

가장 중요한 것은 아이가 스스로 방법을 생각할 수 있는 시간을 충분히 주는 거예요. 엄마나 선생님이 옆에서 방법을 바로 알려주거나 해답지를 줘버리면 사고력 수학의 효과는 없는 거나 마찬가지랍니다. 설령 문제를 못 풀더라도 아이가 스스로 고민하는 습관을 가지고, 방법을 찾아가는 시간을 늘리는 것이 아이의 문제해결력과 집중력을 기르는 방법이라고 꼭 새기며 아이가 스스로 발전할 수 있는 가능성을 믿어 보세요.

또 하나 더 강조하고 싶은 것은 문제의 답을 모두 맞힐 필요가 없다는 거예요. 사고력 수학 문제를 백점 맞는다고 해서 바로 성적이 쑥쑥 오르는 것이 아니에요. 사고력 수학은 훗날 아이가 더 어려운 문제를 풀기 위한 수학적 힘을 기르는 과정으로 봐야 하는 거지요. 그러니 아이가 하나 맞히고 틀리는 것에 일희일비하지 말고 우리 아이가 문제를 어떤 방법으로 풀려고 했고, 왜 어려워 하는지 표현하게 하는 것이 훨씬 중요하답니다. 사고력 수학은 문제의 결과인 답보다 답을 찾아가는 과정 그 자체에 의미가 있다는 사실을 꼭! 꼭! 기억해 주세요.

팡세의 구성과 특징

1. 패턴, 퍼즐과 전략, 유추, 카운팅 - 새로운 시대에 맞는 새로운 사고력 영역!

2. 아이가 혼자서도 술술 풀어나가며 자신감을 기르기에 딱 좋은 난이도!

3. 하루 10분 1장만 풀어도 초등에서 꼭 키워야 하는 사고력을 쑥쑥!

일일 소주제 학습

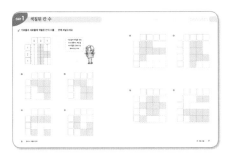

하루에 10분씩 매일 1장씩만 꾸준히 풀면 돼.

5일 동안 배운 것 중 가장 중요한 문제를 복습하는 거야!

주차별 확인학습

월간 마무리 평가

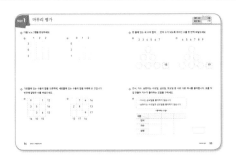

4주 동안 공부한 내용 중 어디가 부족한지 알 수 있다. 삐리삐리~

이 책의 차례

A2

pensées

색칠 퍼즐

색칠된 칸 수

✏️ 가로줄과 세로줄에 색칠된 칸의 수를 ☐ 안에 써넣으세요.

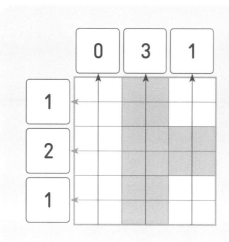

가로줄에 색칠된 칸의 수는 왼쪽에, 세로줄에 색칠된 칸의 수는 위에 쓰는거야.

❶

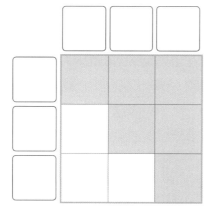

❷

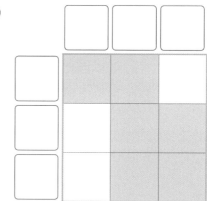

❸

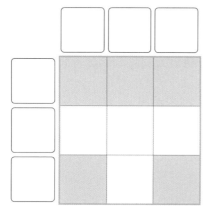

❹

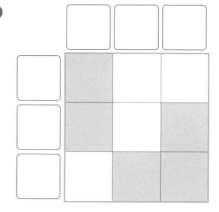

❺
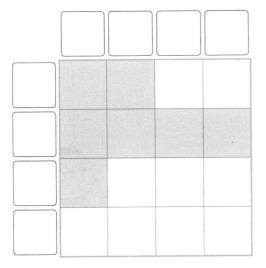

❻
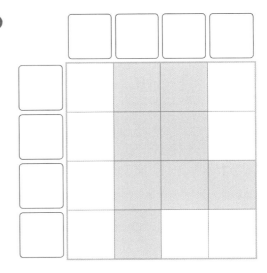

❼

❽
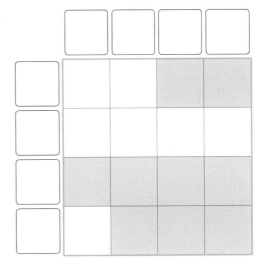

✏️ 각 가로줄과 세로줄에 적힌 수만큼 칸을 색칠하여 노노그램 퍼즐을 완성하세요.

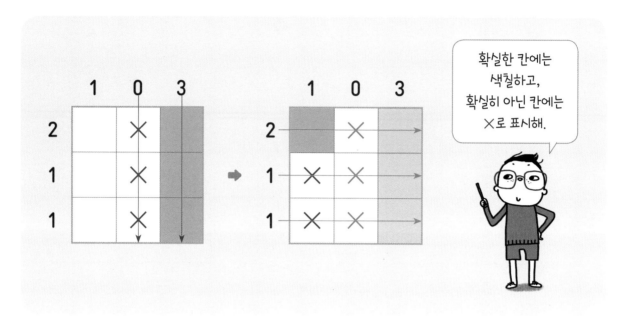

> 확실한 칸에는 색칠하고, 확실히 아닌 칸에는 ╳로 표시해.

❶

	1	1	3
3			
1			
1			

❷

	0	1	1
0			
2			
0			

❸   0   1   0

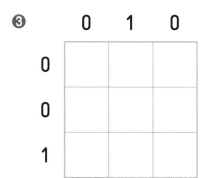

0
0
1

❹   3   1   3

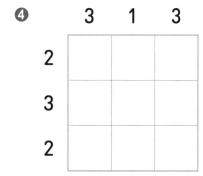

2
3
2

❺   1   2   0

2
0
1

❻   3   2   1

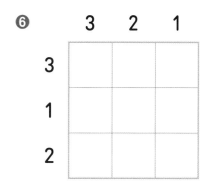

3
1
2

❼   0   3   2

1
2
2

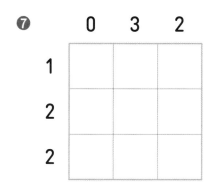

❽   1   3   0

1
2
1

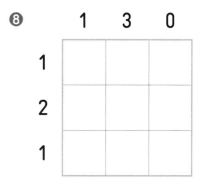

노노그램-4단

✏️ 다음 노노그램을 완성하세요.

색칠되는 칸의 수가
4인 줄부터 색칠해.

❶

	0	2	1	1
0				
1				
0				
3				

❷

	0	4	2	1
1				
3				
2				
1				

❸ 2 4 4 3

3

2

4

4

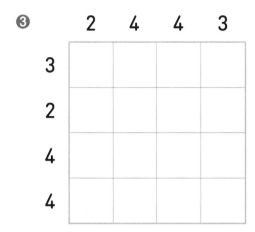

❹ 2 3 0 3

0

3

3

2

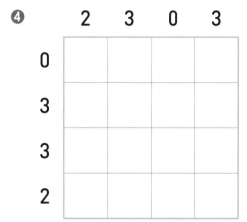

❺ 4 1 0 3

2

3

1

2

❻ 1 3 2 4

1

3

4

2

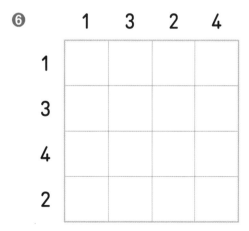

✏️ 색칠된 칸끼리 한 번에 연결되도록 노노그램을 완성하세요. 색칠된 두 칸은 시작 칸과 끝 칸입니다.

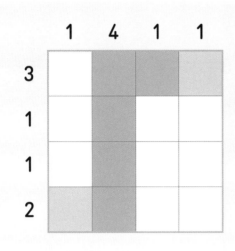

뱀의 모양과 비슷해서
스네이크(뱀) 퍼즐로 불리기도 하지.
길이 갈라지거나
끊어지지 않도록 주의해.

❶

	2	1	1	4
1				
1				
2				
4				

❷

	1	3	1	1
0				
2				
1				
3				

❸

	3	1	2	3
0				
4				
2				
3				

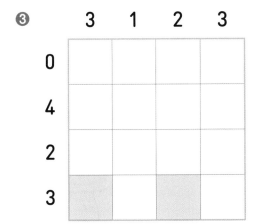

❹

	4	1	2	3
1				
3				
2				
4				

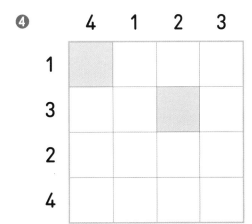

❺

	2	1	2	2
1				
2				
3				
1				

❻

	1	2	2	2
2				
2				
2				
1				

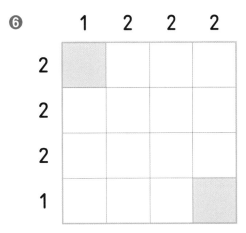

노노그램 미로 탈출

✏️ 가로, 세로로 주어진 수만큼 칸을 지나 미로를 탈출하세요. 한 번 지난 칸은 다시 지날 수 없고, 색칠된 칸은 모두 지나가야 합니다.

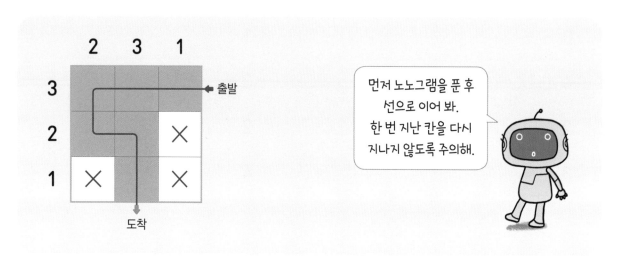

①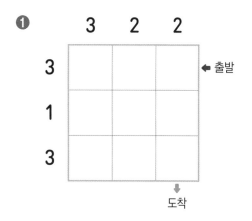

②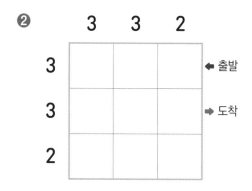

❸

	2	2	1	4	
1					← 출발
1					
3					
4					

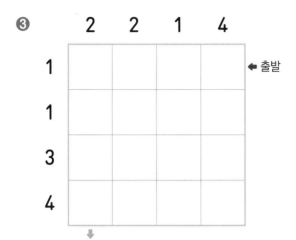

↓
도착

❹

	3	4	2	1	
4					← 출발
3					
2					
1					

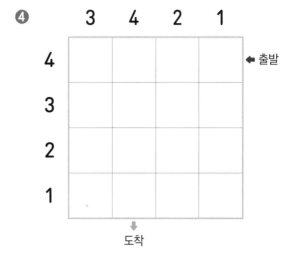

↓
도착

❺

	3	1	2	3	
1					← 출발
4					
3					
1					

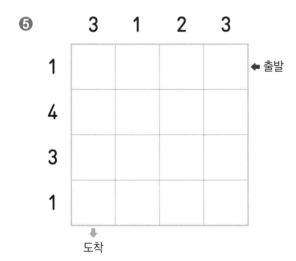

↓
도착

❻

	2	4	2	4	
3					← 출발
2					→ 도착
3					
4					

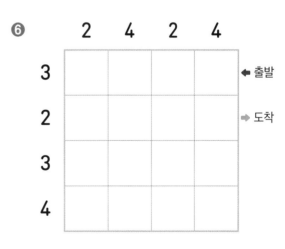

✏️ 다음 노노그램을 완성하세요.

❶

	4	2	0	1
1				
2				
1				
3				

❷

	1	2	3	4
1				
3				
4				
2				

✏️ 가로, 세로로 주어진 수만큼 칸을 지나 미로를 탈출하세요. 한 번 지난 칸은 다시 지날 수 없고, 색칠된 칸은 모두 지나가야 합니다.

❸

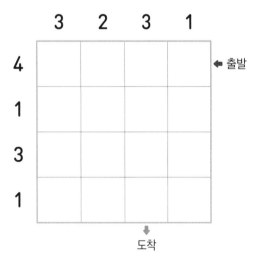

❹

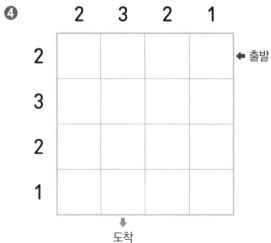

2
주차

연산 퍼즐

✏️ 매트릭스 안의 가로줄, 세로줄에 있는 수들의 합을 ☐ 안에 써넣으세요.

1+2+5=8

1	2	5	8
3	2	3	8
7	3	4	14
11	7	12	

1+3+7=11

수들을 가로, 세로로
놓은 것을 매트릭스라고 해.

1	2	5
3	2	3
7	3	4

❶

4	5	
3	8	

❷

6	7	
9	5	

❸

2	9	
4	8	

❹

3	3	
8	5	

❺

2	3	3	
1	4	5	
2	1	6	

❻

3	1	4	
2	4	2	
4	9	3	

❼

6	5	7	
3	3	5	
1	7	4	

❽

6	2	9	
4	5	3	
8	3	7	

매트릭스 덧셈 (2)

🖊 가로줄에 있는 수들의 합을 오른쪽에, 세로줄에 있는 수들의 합을 아래에 쓴 것입니다.
합이 바르게 되도록 지워야 할 매트릭스 안의 수에 ✕표 하세요.

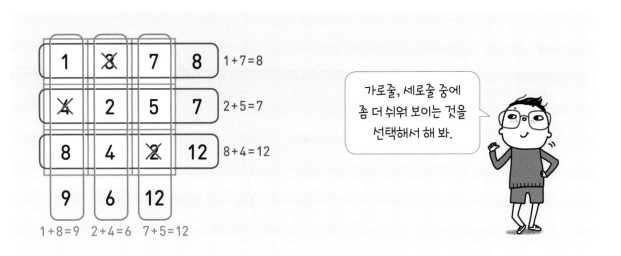

가로줄, 세로줄 중에
좀 더 쉬워 보이는 것을
선택해서 해 봐.

❶

1	4	5	9
7	1	3	8
6	2	4	10

13   5   9

❷

3	7	2	9
4	2	6	10
5	3	4	8

9   10   8

❸

2	3	5	7
6	4	2	6
7	5	3	12
9	9	7	

❹

5	2	8	10
3	4	5	8
9	6	2	15
12	8	13	

❺

8	6	3	14
2	5	7	9
9	4	8	12
10	10	15	

❻

8	7	4	12
6	4	5	10
7	6	9	15
14	10	13	

❼

3	4	7	10
5	6	9	15
7	3	8	10
10	9	16	

❽

1	6	2	8
5	9	3	14
4	1	6	10
9	15	8	

🖊 가로줄에 있는 수들의 합을 오른쪽에, 세로줄에 있는 수들의 합을 아래에 쓴 것입니다.
빈칸에 알맞은 수를 써넣으세요.

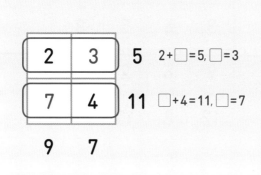

| 2 | 3 | 5 | 2+□=5, □=3 |
| 7 | 4 | 11 | □+4=11, □=7 |

9 7

빈칸의 수를 □로 놓고
덧셈식을 써 봐.
물론 세로줄을 이용해서
구해도 돼.

❶

| 4 | | 7 |
| | 2 | 8 |

10 5

❷

| | 5 | 8 |
| 6 | | 11 |

9 10

❸

| 5 | | 6 |
| | 9 | 12 |

8 10

❹

| | 6 | 10 |
| 5 | | 13 |

9 14

❺

	3	6	11
7		2	12
4	5		15
13	11	14	

❻

3		8	18
1	6		11
	2	3	13
12	15	15	

❼

5	3		10
	1	2	9
2			9
13	8	7	

❽

	1	2	7
2	5		15
9			19
15	12	14	

✏️ 가로줄의 수의 합을 왼쪽 ◺ 안에, 세로줄의 수의 합을 ◿ 안에 써넣으세요.

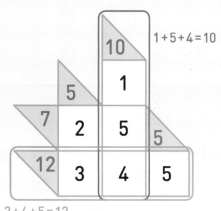

1+5+4=10

3+4+5=12

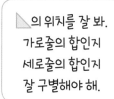

◺의 위치를 잘 봐.
가로줄의 합인지
세로줄의 합인지
잘 구별해야 해.

❶

		1	5
3	4	6	

❷

2	4	
	1	5
	7	2

❸

		1
1	3	4
5	6	2

❹

3	4	
8	1	2
	3	6

❺

	4	2
6	3	5
2	5	

❻

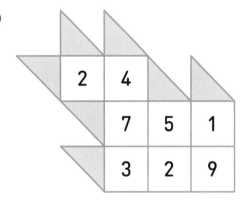

2	4		
	7	5	1
	3	2	9

가쿠로 퍼즐

✎ 1부터 9까지의 수를 사용하여 다음 가쿠로 퍼즐을 완성하세요. 단, 하나의 덧셈식에 같은 수를 여러 번 더할 수 없습니다.

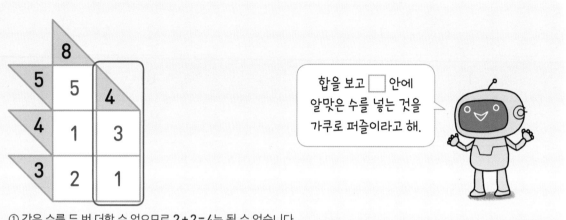

합을 보고 ☐ 안에 알맞은 수를 넣는 것을 가쿠로 퍼즐이라고 해.

① 같은 수를 두 번 더할 수 없으므로 **2 + 2 = 4**는 될 수 없습니다.
② 아래 칸에 3을 넣을 수 없으므로 1을 써넣습니다.

❶
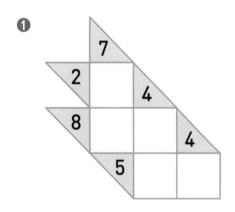

❷
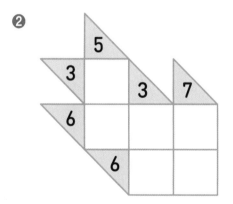

❸

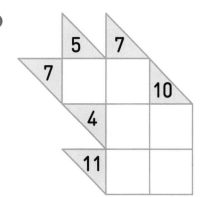 ❹

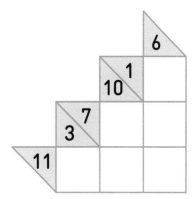 ❺ ❻

🖊 가로줄에 있는 수들의 합을 오른쪽에, 세로줄에 있는 수들의 합을 아래에 쓴 것입니다. 빈칸에 알맞은 수를 써넣으세요.

❶

4	2		11
1		3	11
	4	4	17

14　13　12

❷

	7	6	16
2	4		14
8			12

13　14　15

🖊 1부터 9까지의 수를 사용하여 다음 가쿠로 퍼즐을 완성하세요. 단, 하나의 덧셈식에 같은 수를 여러 번 더할 수 없습니다.

❸

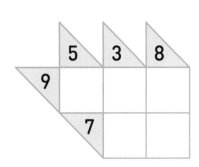

❹

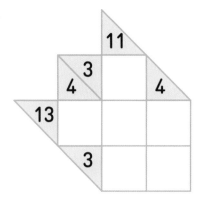

합 배치 퍼즐

합 모으기

✏️ 주머니 안의 수의 합을 ☐ 안에 써넣으세요.

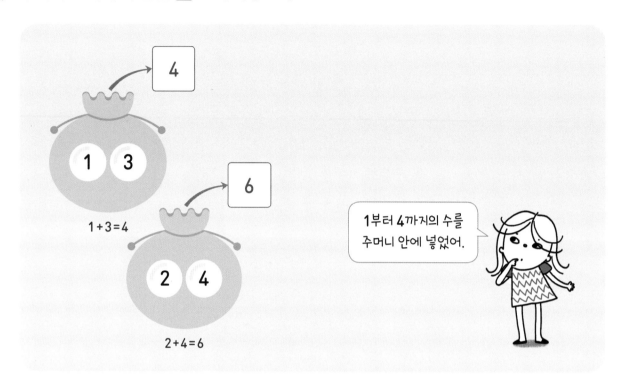

4

1 3

1+3=4

6

2 4

2+4=6

1부터 4까지의 수를 주머니 안에 넣었어.

❶

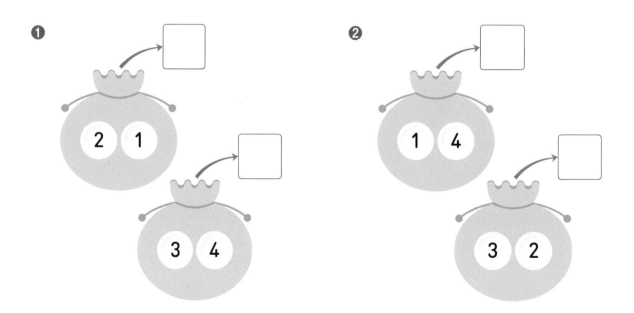

2 1

3 4

❷

1 4

3 2

❸

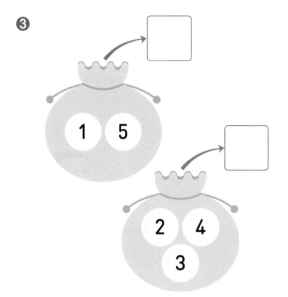

❹

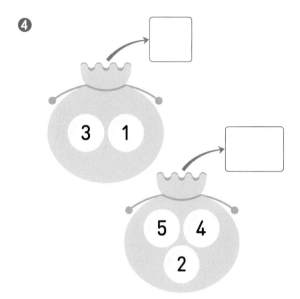

❺

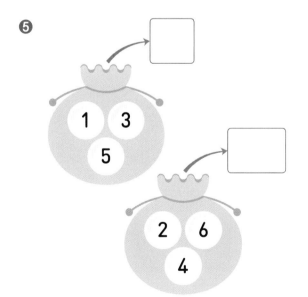

❻

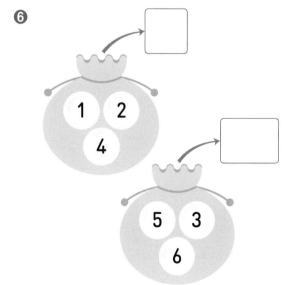

3단 합 모으기

✏️ ☐ 안의 수는 선으로 이어진 수의 합일 때, ○ 안에 주어진 수를 한 번씩 써넣으세요.

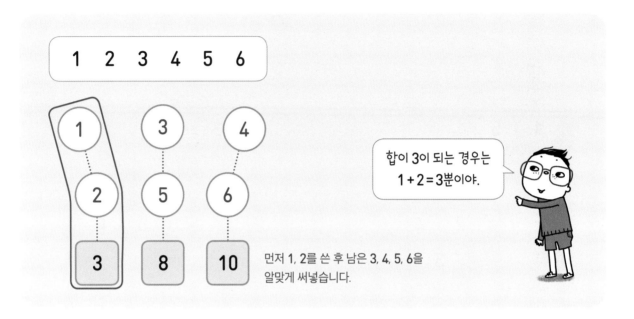

합이 3이 되는 경우는
1+2=3뿐이야.

먼저 1, 2를 쓴 후 남은 3, 4, 5, 6을
알맞게 써넣습니다.

❶
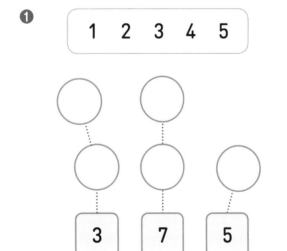

❷
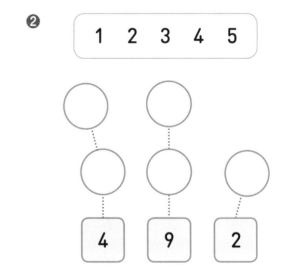

❸

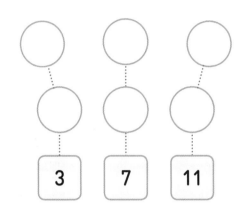

❹

1 2 3 4 5 6

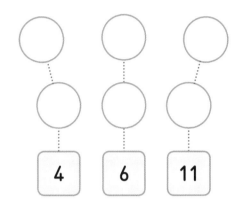

❺

1 2 3 4 5 6

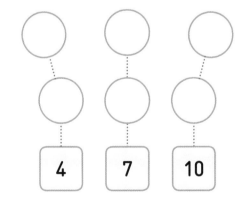

❻

1 2 3 4 5 6

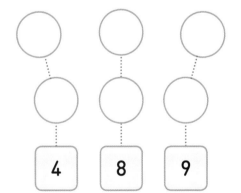

십자합 배치

✏️ 한 줄에 있는 세 수의 합이 ☐ 안의 수가 되도록 주어진 수를 한 번씩 써넣으세요.

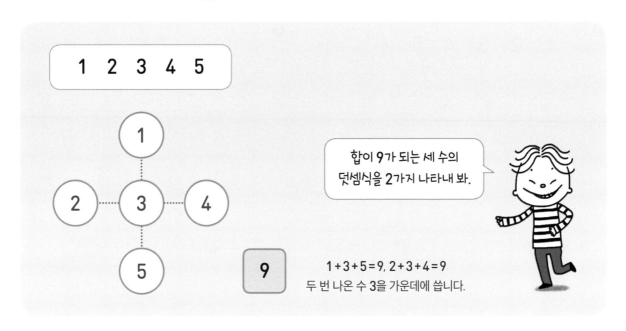

합이 9가 되는 세 수의
덧셈식을 2가지 나타내 봐.

1+3+5=9, 2+3+4=9
두 번 나온 수 3을 가운데에 씁니다.

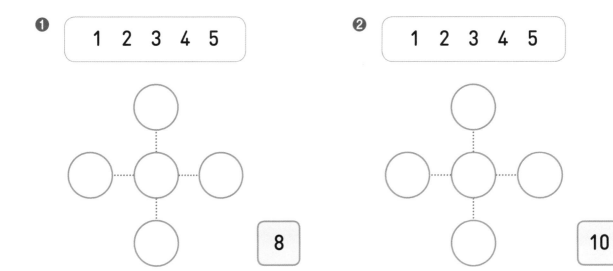

❶ 1 2 3 4 5

8

❷ 1 2 3 4 5

10

❸

1 3 5 7 9

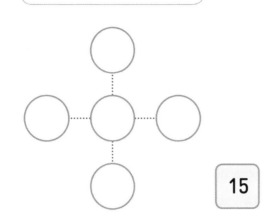

15

❹

1 3 5 7 9

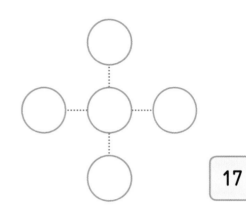

17

❺

2 4 6 8 10

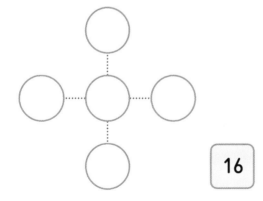

16

❻

2 4 6 8 10

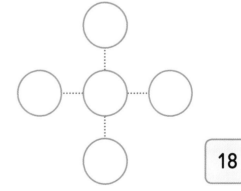

18

육각합 배치

✏️ 한 줄에 있는 세 수의 합이 ☐ 안의 수가 되도록 주어진 수를 한 번씩 써넣으세요.

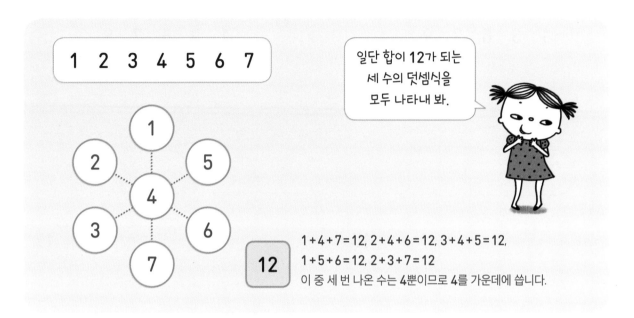

일단 합이 **12**가 되는 세 수의 덧셈식을 모두 나타내 봐.

1+4+7=12, 2+4+6=12, 3+4+5=12,
1+5+6=12, 2+3+7=12
이 중 세 번 나온 수는 **4**뿐이므로 **4**를 가운데에 씁니다.

❶ 1 2 3 4 5 6 7

❷ 1 2 3 4 5 6 7

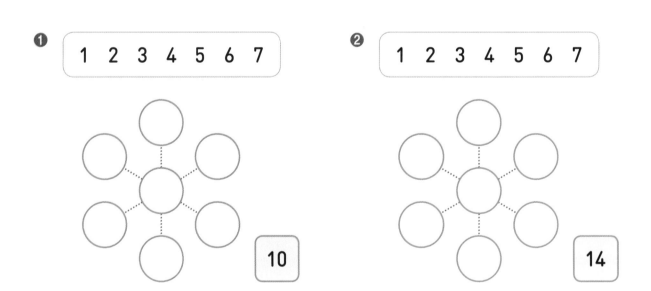

❸

1 2 3 5 7 8 9

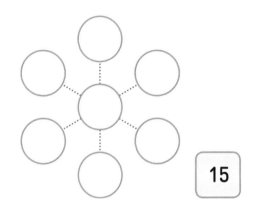

15

❹

1 3 4 5 7 8 9

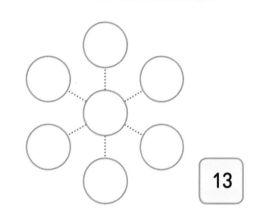

13

❺

2 3 4 5 6 7 8

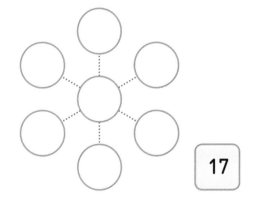

17

❻

3 4 5 6 7 8 9

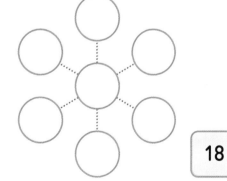

18

삼각합 배치

✏️ 한 줄에 있는 세 수의 합이 ☐ 안의 수가 되도록 주어진 수를 한 번씩 써넣으세요.

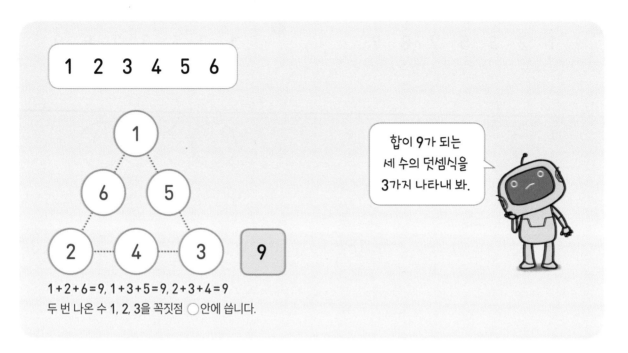

1 2 3 4 5 6

합이 **9**가 되는
세 수의 덧셈식을
3가지 나타내 봐.

1+2+6=9, 1+3+5=9, 2+3+4=9
두 번 나온 수 **1, 2, 3**을 꼭짓점 ◯안에 씁니다.

❶

1 2 3 4 5 6

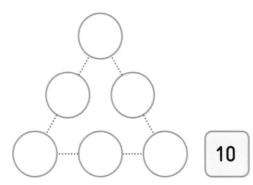

10

❷

1 2 3 4 5 6

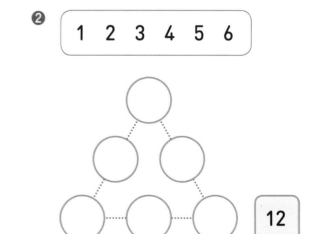

12

❸

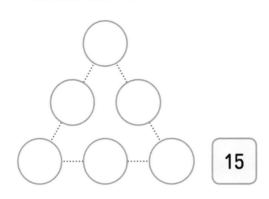

❹

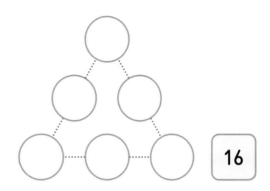

❺ 3 4 5 6 7 8

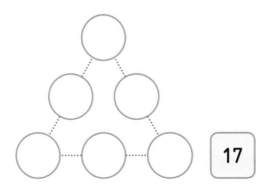

❻

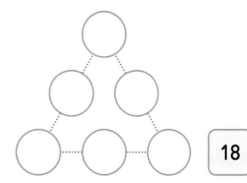

✒️ ⬜ 안의 수는 선으로 이어진 수의 합일 때, ◯ 안에 주어진 수를 한 번씩 써넣으세요.

❶
1 2 3 4 5

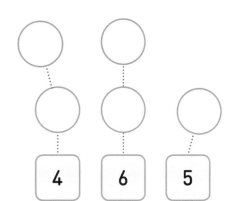

❷
1 2 3 4 5 6

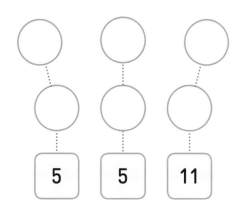

✒️ 한 줄에 있는 세 수의 합이 ⬜ 안의 수가 되도록 주어진 수를 한 번씩 써넣으세요.

❸
1 2 3 5 6 7

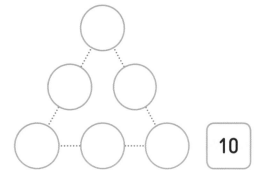

❹
1 2 4 5 7 8

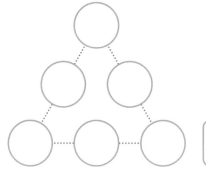

4
주차

논리 퍼즐

좋아하는 것 연결하기

✏️ 성수, 정인, 민주는 다음 세 가지 중 서로 다른 하나를 좋아합니다. 좋아하는 것을 찾아 선으로 이어 보세요.

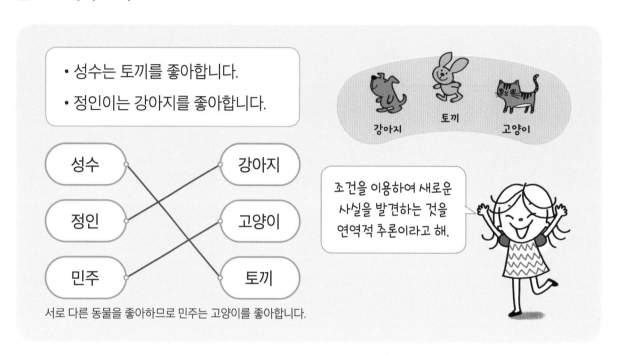

- 성수는 토끼를 좋아합니다.
- 정인이는 강아지를 좋아합니다.

강아지   토끼   고양이

성수 ——— 강아지

정인 ——— 고양이

민주 ——— 토끼

서로 다른 동물을 좋아하므로 민주는 고양이를 좋아합니다.

조건을 이용하여 새로운 사실을 발견하는 것을 연역적 추론이라고 해.

❶

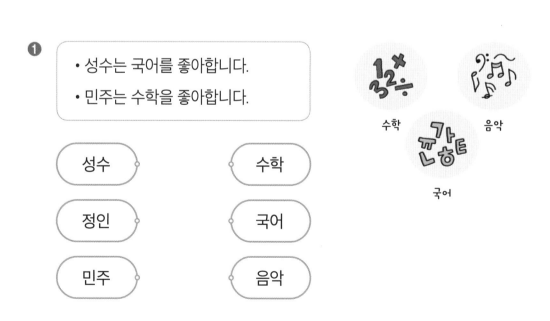

- 성수는 국어를 좋아합니다.
- 민주는 수학을 좋아합니다.

수학   음악

국어

성수   수학

정인   국어

민주   음악

❷

- 성수는 축구를 좋아합니다.
- 정인이는 줄넘기를 좋아하지 않습니다.

야구 줄넘기

축구

성수   야구

정인   축구

민주   줄넘기

❸

- 정인이는 시소를 좋아합니다.
- 민주는 그네를 좋아하지 않습니다.

그네   시소

미끄럼틀

성수   그네

정인   미끄럼틀

민주   시소

표를 보고 연결하기

✏️ 승진, 다정, 소율이는 다음 세 가지 중 서로 다른 하나를 좋아합니다. 좋아하는 것에 ◯표, 좋아하지 않는 것에 ✕표 하고, 좋아하는 것을 찾아 선으로 이어 보세요.

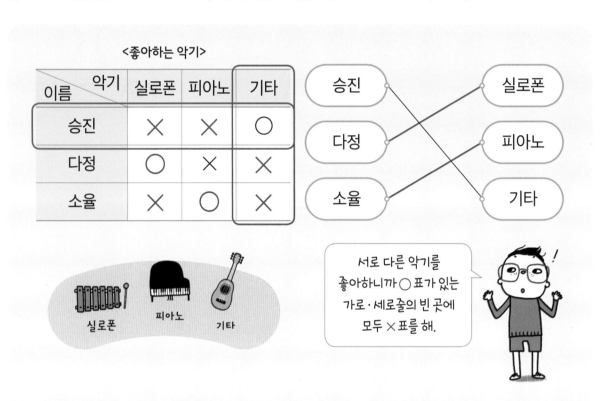

<좋아하는 악기>

이름＼악기	실로폰	피아노	기타
승진	✕	✕	◯
다정	◯	✕	✕
소율	✕	◯	✕

실로폰 피아노 기타

서로 다른 악기를 좋아하니까 ◯ 표가 있는 가로·세로줄의 빈 곳에 모두 ✕표를 해.

❶ **<좋아하는 장소>**

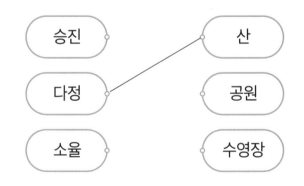

이름＼장소	산	공원	수영장
승진			
다정	◯		
소율		✕	

산 공원 수영장

❷ **<좋아하는 장난감>**

이름 \ 장난감	기차	로봇	자동차
승진			×
다정			
소율		×	×

승진 ○────○ 기차

다정 ○────○ 로봇

소율 ○────○ 자동차

기차   로봇   자동차

❸ **<좋아하는 색깔>**

이름 \ 색깔	빨간색	노란색	흰색
승진	×	×	
다정			
소율		×	

승진 ○────○ 빨간색

다정 ○────○ 노란색

소율 ○────○ 흰색

빨간색   노란색   흰색

✎ 아현, 신지, 지효는 다음 세 가지 중 서로 다른 하나를 좋아합니다. 좋아하는 것에 ○표, 좋아하지 않는 것에 ×표 하고, 좋아하는 것을 각각 구하세요.

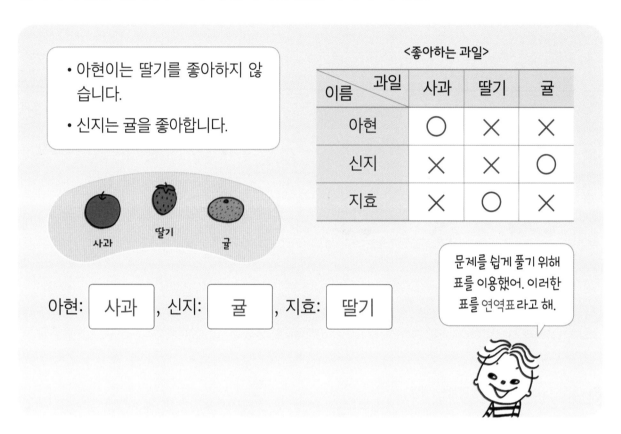

- 아현이는 딸기를 좋아하지 않습니다.
- 신지는 귤을 좋아합니다.

<좋아하는 과일>

이름＼과일	사과	딸기	귤
아현	○	×	×
신지	×	×	○
지효	×	○	×

사과 　　딸기 　　귤

아현: 사과 , 신지: 귤 , 지효: 딸기

문제를 쉽게 풀기 위해 표를 이용했어. 이러한 표를 연역표라고 해.

---

❶
- 아현이는 주스를 좋아합니다.
- 지효는 우유를 좋아하지 않습니다.

주스 　　사이다 　　우유

<좋아하는 음료>

이름＼음료	주스	사이다	우유
아현			
신지			
지효			

아현: ☐ , 신지: ☐ , 지효: ☐

❷

• 아현이는 치마를 좋아하지 않습니다.

• 지효는 반바지와 치마를 좋아하지 않습니다.

<좋아하는 옷>

이름 \ 옷	반바지	청바지	치마
아현			
신지			
지효			

반바지　　청바지　　치마

아현: ⬚ , 신지: ⬚ , 지효: ⬚

❸

• 아현이는 사자와 앵무새를 좋아하지 않습니다.

• 지효는 앵무새를 좋아하지 않습니다.

<좋아하는 동물>

이름 \ 동물	사자	앵무새	고슴도치
아현			
신지			
지효			

사자　　앵무새　　고슴도치

아현: ⬚ , 신지: ⬚ , 지효: ⬚

표 만들기

현아, 영수, 지훈이는 다음 세 가지 중 서로 다른 하나를 좋아합니다. 표를 직접 만들어 물음에 답하세요.

• 현아는 치킨을 좋아하지 않습니다.

• 영수는 떡볶이를 좋아합니다.

피자   치킨   떡볶이

<좋아하는 음식>

이름 \ 음식	피자	치킨	떡볶이
현아	○	×	×
영수	×	×	○
지훈	×	○	×

지훈이가 좋아하는 음식은 무엇입니까? 치킨

이번에는 표를 직접 만들어 문제를 해결해 보자.

❶

• 영수는 5를 좋아하지 않습니다.

• 지훈이는 1과 5를 좋아하지 않습니다.

<좋아하는 숫자>

이름			
현아			
영수			
지훈			

영수가 좋아하는 숫자는 무엇입니까?

❷

- 현아는 태권도를 좋아합니다.
- 영수는 야구를 좋아하지 않습니다.

 야구   태권도

 농구

<좋아하는 운동>

이름			
현아			
영수			
지훈			

지훈이가 좋아하는 운동은 무엇입니까?

❸

- 현아와 영수는 모두 봄을 좋아하지 않습니다.
- 현아는 여름을 좋아하지 않습니다.

 봄   여름

 겨울

<좋아하는 계절>

이름			
현아			
영수			
지훈			

영수가 좋아하는 계절은 무엇입니까?

숨은 뜻 찾기

✏️ 수진, 혜승, 유미는 다음 세 가지 중 서로 다른 하나를 좋아합니다. 표를 직접 만들어 좋아하는 것을 각각 구하세요.

• 수진이는 파란색을 좋아하는 사람보다 키가 큽니다.
• 혜승이는 빨간색, 파란색을 좋아하는 사람과 함께 미술 학원에 다닙니다.

<좋아하는 색깔>

이름＼색깔	빨간색	파란색	노란색
수진	○	×	×
혜승	×	×	○
유미	×	○	×

수진이는 파란색을 좋아하는 사람이 아니라는 것을 알 수 있어.

수진: 빨간색 , 혜승: 노란색 , 유미: 파란색

❶
• 수진이는 김밥을 좋아하는 사람보다 한 살 많습니다.
• 유미는 자장면, 김밥을 좋아하는 사람보다 키가 큽니다.

<좋아하는 음식>

이름			
수진			
혜승			
유미			

김치   김밥

자장면

수진: ☐ , 혜승: ☐ , 유미: ☐

❷

- 수진이는 복숭아를 좋아하는 친구와 다른 반입니다.
- 유미는 복숭아, 포도를 좋아하는 친구들과 같은 미술 학원을 다닙니다.

<좋아하는 과일>

이름			
수진			
혜승			
유미			

포도   바나나

복숭아

수진: [   ] , 혜승: [   ] , 유미: [   ]

❸

- 수진이는 국어, 미술을 좋아하는 친구들과 같이 숙제를 했습니다.
- 혜승이는 미술을 좋아하는 친구의 옆집에 삽니다.

<좋아하는 과목>

이름			
수진			
혜승			
유미			

국어   체육

미술

수진: [   ] , 혜승: [   ] , 유미: [   ]

✏️ 유나, 수열, 지석이는 혈액형이 A형, B형, O형 중 서로 다른 하나입니다. 표를 직접 만들어 유나의 혈액형을 구하세요.

❶

> • 유나는 A형이 아닙니다.
> • 수열이는 O형입니다.

<친구들의 혈액형>

이름			
유나			
수열			
지석			

✏️ 하영, 영훈, 호근이는 산, 바다, 공원 중 서로 다른 한 곳을 가 보고 싶어합니다. 표를 직접 만들어 가 보고 싶은 장소를 각각 구하세요.

❷

> • 하영이는 공원을 가고 싶은 친구보다 나이가 많습니다.
> • 호근이는 바다, 공원을 가고 싶은 친구들과 어제 같이 놀았습니다.

<가 보고 싶은 장소>

이름			
하영			
영훈			
호근			

하영: ___, 영훈: ___, 호근: ___

마무리 평가

마무리 평가는 앞에서 공부한 4주차의 유형이 다음과 같은 순서로 나와요.
틀린 문제는 몇 주차인지 확인하여 반드시 다시 한 번 학습하도록 해요.

1주차	**3**주차
2주차	**4**주차

마무리 평가

❖ 다음 노노그램을 완성하세요.

❶

	1	2	2
3			
0			
2			

❷

	0	1	2
0			
2			
1			

❖ 가로줄에 있는 수들의 합을 오른쪽에, 세로줄에 있는 수들의 합을 아래에 쓴 것입니다. 빈칸에 알맞은 수를 써넣으세요.

❸

9		1	12
3	5		16
	3	6	13
16	10	15	

❹

	7	4	16
2	8		13
		9	17
13	17	16	

❖ 한 줄에 있는 세 수의 합이 ☐ 안의 수가 되도록 주어진 수를 한 번씩 써넣으세요.

❺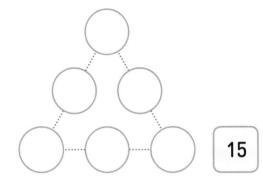

2 3 4 5 6 7

15

❻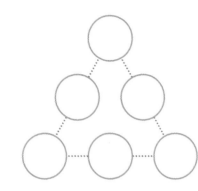

4 5 6 7 8 9

19

❖ 연서, 지수, 승현이는 수요일, 금요일, 토요일 중 서로 다른 하나를 좋아합니다. 표를 직접 만들어 지수가 좋아하는 요일을 구하세요.

❼

- 지수는 금요일을 좋아하지 않습니다.
- 승현이는 수요일과 금요일을 좋아하지 않습니다.

<좋아하는 요일>

이름			
연서			
지수			
승현			

✤ 색칠된 칸끼리 한 번에 연결되도록 노노그램을 완성하세요. 색칠된 두 칸은 시작 칸과 끝 칸입니다.

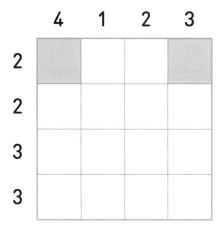

❶
	4	1	2	3
2				
2				
3				
3				

❷
	1	3	1	2
0				
2				
2				
3				

✤ 1부터 9까지의 수를 사용하여 다음 가쿠로 퍼즐을 완성하세요. 단, 하나의 덧셈식에 같은 수를 여러 번 더할 수 없습니다.

❸

❹

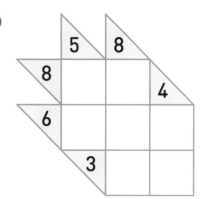

✿ ☐ 안의 수는 선으로 이어진 수의 합일 때, ◯ 안에 주어진 수를 한 번씩 써넣으세요.

❺

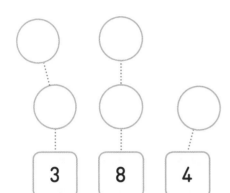

❻

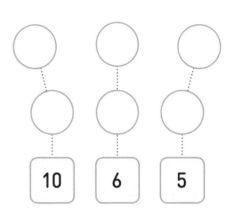

✿ 유진, 재석, 종인이는 강아지, 고양이, 고슴도치 중 서로 다른 하나를 기릅니다. 기르는
동물에 ◯표, 기르지 않는 동물에 ✕표 하고, 알맞은 것을 찾아 선으로 이어 보세요.

❼

<기르고 있는는 동물>

이름＼동물	강아지	고양이	고슴도치
유진			
재석			◯
종인		✕	

유진   강아지

재석   고양이

종인   고슴도치

✜ 다음 노노그램을 완성하세요.

❶

	3	1	0	2
2				
3				
1				
0				

❷

	4	1	3	2
2				
1				
3				
4				

✜ 가로줄에 있는 수들의 합을 오른쪽에, 세로줄에 있는 수들의 합을 아래에 쓴 것입니다. 합이 바르게 되도록 지워야 할 매트릭스 안의 수에 ✕표 하세요.

❸

1	7	5	8
8	2	9	17
6	3	4	7
9	10	13	

❹

3	8	7	15
6	2	5	8
5	3	7	12
11	10	14	

❖ 한 줄에 있는 세 수의 합이 ☐ 안의 수가 되도록 주어진 수를 한 번씩 써넣으세요.

❺
3 4 5 6 7

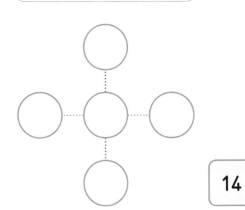

14

❻
3 4 5 6 7

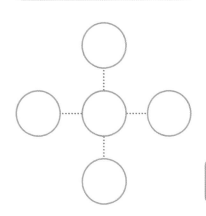

15

❖ 찬원, 희정, 문주는 드라마, 스포츠, 만화 중 서로 다른 하나를 좋아합니다. 좋아하는 것에 ◯표, 좋아하지 않는 것에 ✕표 하고, 좋아하는 것을 각각 구하세요.

❼
- 찬원이는 스포츠를 좋아하지 않습니다.
- 문주는 드라마와 스포츠를 좋아하지 않습니다.

<좋아하는 TV 프로그램>

이름＼프로그램	드라마	스포츠	만화
찬원			
희정			
문주			

찬원: ☐

희정: ☐

문주: ☐

✣ 가로, 세로로 주어진 수만큼 칸을 지나 미로를 탈출하세요. 한 번 지난 칸은 다시 지날 수 없고, 색칠된 칸은 모두 지나가야 합니다.

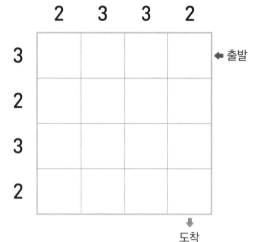

❶

	2	3	3	2
3					← 출발
2				
3				
2				

↓ 도착

❷

	3	4	2	1
4					← 출발
3				
2				
1				

↓ 도착

✣ 가로줄에 있는 수들의 합을 오른쪽에, 세로줄에 있는 수들의 합을 아래에 쓴 것입니다. 빈칸에 알맞은 수를 써넣으세요.

❸

	7	10
9		17

12 15

❹

4	9		16
	5	1	12
8			17

18 16 11

❖ 한 줄에 있는 세 수의 합이 ☐ 안의 수가 되도록 주어진 수를 한 번씩 써넣으세요.

❺

2 3 4 5 6 7 8

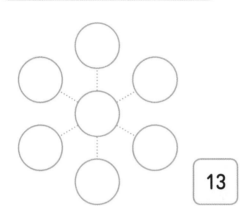

13

❻

2 3 4 5 6 7 8

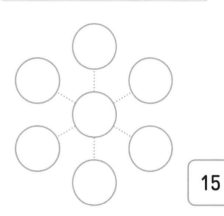

15

❖ 성민, 기석, 진호는 1반, 2반, 3반 중 서로 다른 반입니다. 맞는 반에 ◯표, 틀린 반에 ✕
표 하고, 각각 몇 반인지 구하세요.

❼

• 성민이는 2반이 아닙니다.

• 진호는 2반이 아닙니다.

• 성민이는 3반도 아닙니다.

<친구들의 반>

이름 \ 반	1반	2반	3반
성민			
기석			
진호			

성민: ☐

기석: ☐

진호: ☐

♣ 다음 노노그램을 완성하세요.

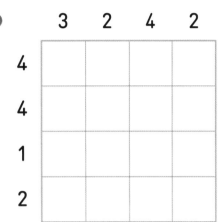

❶   3   2   4   2

4
4
1
2

❷   1   3   0   2

1
3
2
0

♣ 1부터 9까지의 수를 사용하여 다음 가쿠로 퍼즐을 완성하세요. 단, 하나의 덧셈식에 같은 수를 여러 번 더할 수 없습니다.

❸

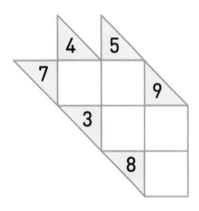

❹

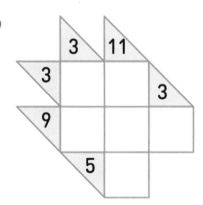

❖ 한 줄에 있는 세 수의 합이 ☐ 안의 수가 되도록 주어진 수를 한 번씩 써넣으세요.

❺
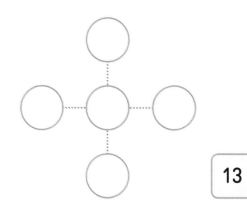

❻
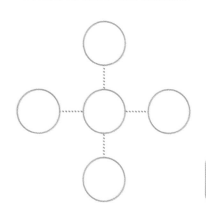

❖ 사랑, 태민, 담비는 기타, 피아노, 바이올린 중 서로 다른 악기 한 가지를 연주할 수 있습니다. 표를 직접 만들어 연주할 수 있는 악기를 각각 구하세요.

❼

• 사랑이는 피아노 연주 대회에서 상을 받았습니다.

• 태민이는 기타를 연주할 수 있는 친구와 친합니다.

<연주할 수 있는 악기>

이름			
사랑			
태민			
담비			

사랑: ☐

태민: ☐

담비: ☐

pensées

네이버 공식 지원 카페 필즈엠

씨투엠에듀 공식 인스타그램

C2MEDU.OFFICIAL

'사고력수학의 시작'

평창

Pensées

A2
정답과 풀이

1주차 색칠 퍼즐

DAY 1

색칠된 칸의 수

✎ 가로줄과 세로줄에 색칠된 칸의 수를 □ 안에 써넣으세요.

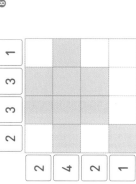

가로줄에 색칠된 칸의 수는 왼쪽에, 세로줄에 색칠된 칸의 수는 위에 쓰는 거야.

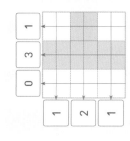

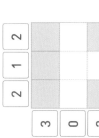

DAY 2 노노그램 - 3단

✏️ 각 가로줄과 세로줄에 적힌 수만큼 가운데 칸을 색칠하여 노노그램 퍼즐을 완성하세요.

색칠한 칸에는 색칠하고,
색칠하지 않는 칸에는
×표 표시해.

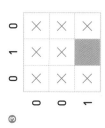

① 색칠한 칸에는 색칠합니다.
② ×표 표시한 칸을 제외한 두 칸에
모두 ×표 합니다.

❶
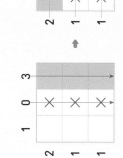
①3
②1
②1
① 3은 세 칸 모두 색칠합니다.
② 색칠한 칸을 제외한 두 칸에
모두 ×표 합니다.

❷
0	1	1
×		×
×		×
×		×
①0
②2
①0
① 0은 세 칸 모두 ×표 합니다.
② ×표 한 칸을 제외한 두 칸에
모두 색칠합니다.

❸
0	1	0
×	×	×
×	×	
×	×	×

❹

2
3
2

❺
0	2	1
×	×	×
	×	
	×	×
②2
①0
1

① 0은 세 칸 모두 ×표 합니다.
② ×표 한 칸을 제외한 두 칸에
모두 색칠합니다.

❻
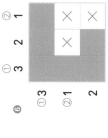
①3
②1
2

①3 ②1

❼
3	2	
		×
×	×	
1
2
2

❽

1 3 0

1
2
1

① 3은 세 칸 모두 색칠합니다.
② 색칠한 칸을 제외한 두 칸에
모두 ×표 합니다.

1주차 색칠 퍼즐

DAY 3 노노그램 - 4단

✏ 다음 노노그램을 완성하세요.

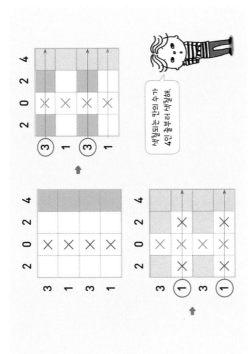
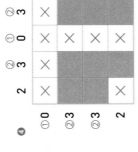

색칠되는 칸의 수가 4인 줄부터 색칠해.

① 0은 네 칸 모두 ×표 합니다.
② ×표 한 칸을 제외한 모두 색칠합니다.
③ ×표 한 칸을 제외한 두 칸에 모두 색칠합니다.

② ④ 4는 네 칸 모두 색칠합니다.
② 0은 네 칸 모두 ×표 합니다.
③ 색칠한 칸을 제외한 남은 세 칸에 모두 ×표 합니다.

① 4는 네 칸 모두 색칠합니다.
② 색칠한 칸을 제외한 남은 두 칸에 모두 ×표 합니다.

④ ① 4는 네 칸 모두 색칠합니다.
② 0은 네 칸 모두 ×표 합니다.
③ ×표 제외한 세 칸에 모두 색칠합니다.
④ 색칠한 칸을 제외한 남은 세 칸에 모두 ×표 합니다.

⑥ ① 4는 네 칸 모두 색칠합니다.
② 색칠한 칸을 제외한 남은 세 칸에 모두 ×표 합니다.
③ ×표 한 칸을 제외한 세 칸에 모두 색칠합니다.

④ ① 0은 네 칸 모두 ×표 합니다.
② ×표 한 칸을 제외한 세 칸에 모두 색칠합니다.

DAY 4 연결하여 색칠하기

◆ 색칠된 칸끼리 한 번에 연결되도록 노노그램을 완성하세요. 색칠된 두 칸은 시작 칸과 끝 칸입니다.

별의 모양과 비슷하게 노네크(빵) 퍼즐로 딸리거나 하지, 끊어지지 않도록 주의해.

①

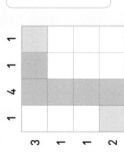

① 4는 네 칸 모두 색칠합니다. 색칠한 칸이 한 번에 연결되도록 마무리합니다.

②
① 0
② 2
1
3

① 0은 네 칸 모두 X표 합니다.
② 왼쪽 두 칸만 색칠합니다.
③ X표 한 칸을 제외한 세 칸 색칠합니다. 색칠한 칸이 한 번에 연결되도록 마무리합니다.

③
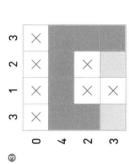

④
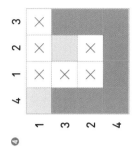

⑤

⑥
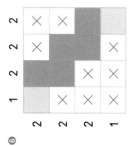

주차 1

색칠 퍼즐

DAY 5

노노그램 미로 탈출

✎ 가로, 세로로 주어진 수만큼 칸을 지나 미로를 탈출하세요. 한 번 지난 칸은 다시 지날
수 없고, 색칠된 칸은 모두 지나가야 합니다.

먼저 노노그램을 푼 후
선으로 이어 봐.
한 번 지난 칸을 다시
지나가지 않도록 주의해.

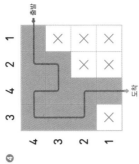

❶

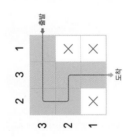

❷

---

pensées

❸

❹

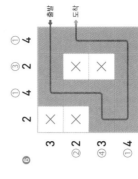

❺

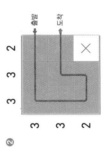

① 4는 네 칸 모두 색칠합니다.
② 색칠한 칸을 제외한 남은 세 칸에
　모두 X표 합니다.
③ X표 제외한 세 칸 모두 색칠합니다.
④ 색칠한 칸을 제외한 남은 두 칸에
　모두 X표 합니다.
⑤ 출발 칸과 도착 칸을 색칠합니다.

❻

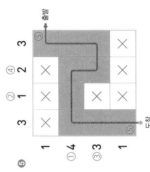

① 4는 네 칸 모두 색칠합니다.
② 색칠한 칸을 제외한 남은 두 칸에
　모두 X표 합니다.
③ 선으로 연결해야 하는 칸은 색칠하
　고, 남은 칸에는 X표 합니다.
④ X표 제외한 세 칸 모두 색칠합니다.

❶ 다음 노노그램을 완성하세요.

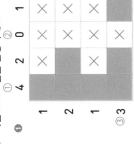

	① 4	② 2	0	1
1	×	×	×	
2			×	×
1	×	×		×
③ 3				×

① 4는 네 칸 모두 색칠합니다.
② 0은 네 칸 모두 ×표 합니다.
③ ×표 한 칸을 제외한 세 칸에
모두 색칠합니다.

❷

	② 1	2	③ 3	① 4
②1	×			
③3	×			
①4	×	×		
2		×		

① 4는 네 칸 모두 색칠합니다.
② 색칠한 칸을 제외한 남은 세 칸에
모두 ×표 합니다.
③ ×표 한 칸을 제외한 세 칸에
모두 색칠합니다.

가로, 세로로 주어진 수만큼 칸을 지나 미로를 탈출하세요. 한 번 지난 칸은 다시 지날
수 없고, 색칠된 칸은 모두 지나가야 합니다.

❸

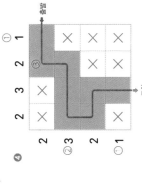

	② 1	2	3	⑤
①4	×			
③1	×	×		
3				×
1	×		×	

① 4는 네 칸 모두 색칠합니다.
② 색칠한 칸을 제외한 남은 세 칸에
모두 ×표 합니다.
③ 선으로 연결해야 하는 칸은 색칠
하고, 남은 칸에는 ×표 합니다.

❹

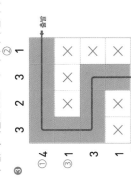

	2	3	③ 2	① 1
2		×	×	×
②3				×
2	×			×
①1	×	×		

① 출발, 도착 칸에 색칠합니다. 세로,
가로로 넘은 세 칸에 ×표 합니다.
② ×표 제외한 세 칸은 모두 색칠합니다.
③ 길이 연결되어야 하므로 이 칸은 반
드시 지나야 합니다.

2주차 연산 퍼즐

DAY 1

매트릭스 덧셈 (1)

✏️ 매트릭스 안의 가로줄, 세로줄에 있는 수들의 합을 ☐ 안에 써넣으세요.

수들을 가로, 세로로 놓은 것을 매트릭스라고 해.

1+2+5=8

1	2	5	8
3	2	3	8
7	3	4	14
11	7	12	

1+3+7=11

❶

4	5	9
3	8	11
7	13	

❷

6	7	13
9	5	14
15	12	

❸

2	9	11
4	8	12
6	17	

❹

3	3	6
8	5	13
11	8	

❺

2	3	3	8
1	4	5	10
2	1	6	9
5	8	14	

❻

3	1	4	8
2	4	2	8
4	9	3	16
9	14	9	

❼

6	5	7	18
3	3	5	11
1	7	4	12
10	15	16	

❽

6	2	9	17
4	5	3	12
8	3	7	18
18	10	19	

DAY 2

매트릭스 덧셈 (2)

가로줄에 있는 수들의 합을 오른쪽에, 세로줄에 있는 수들의 합을 아래에 쓴 것입니다.
합이 바르게 되도록 지워야 할 매트릭스 안의 수에 ✕표 하세요.

가로줄, 세로줄 중에 좀 더 뒤에 보이는 것을 선택해서 해 봐.

1	✕	8	8	1+7=8
✕	2	5	7	2+5=7
8	4	✕	12	8+4=12
9	6	12	

1+8=9 2+4=6 7+5=12

❶

✕	4	5	9
7	1	✕	8
6	✕	4	10
13	5	9	

❷

✕	7	2	9
4	✕	6	10
5	3	✕	8
9	10	8	

❸

2	✕	5	7
✕	4	2	6
7	5	✕	12
9	9	7	

❹

✕	2	8	10
3	✕	5	8
9	6	✕	15
12	8	13	

❺

8	6	✕	14
2	✕	4	9
✕	4	8	12
10	10	15	

❻

8	4	✕	12
6	✕	4	10
✕	6	9	15
14	10	13	

❼

3	✕	7	10
✕	6	9	15
7	3	✕	10
10	9	16	

❽

✕	6	2	8
5	9	✕	14
4	✕	6	10
9	15	8	

2주차 연산 퍼즐

DAY 3

매트릭스 덧셈 (3)

가로줄에 있는 수들의 합을 오른쪽에, 세로줄에 있는 수들의 합을 아래에에 쓴 것입니다.

빈칸에 알맞은 수를 써넣으세요.

2	3	5
7	4	11
9	7	

2+□=5, □=3
□+4=11, □=7

빈칸의 수를 □로 놓고 연산식을 써 봐. 물론 세로줄을 이용해서 구해도 돼.

1

4	3	7
6	2	8
10	5	

가로줄에서
4+□=7, □=3
□+2=8, □=6

3

5	1	6
3	9	12
8	10	

가로줄에서
5+□=6, □=1
□+9=12, □=3

2

3	5	8
6	5	11
9	10	

세로줄에서
□+6=9, □=3
5+□=10, □=5

4

4	6	10
5	8	13
9	14	

세로줄에서
□+5=9, □=4
6+□=14, □=8

---

pensées

5

2	3	6	11
7	3	2	12
4	5	6	15
13	11	14	

가로줄에서
□+3+6=11, □=2
7+□+2=12, □=3
4+5+□=15, □=6

6

3	7	8	18
1	6	4	11
8	2	3	13
12	15	15	

세로줄에서
3+1+□=12, □=8
□+6+2=15, □=7
8+□+3=15, □=4

7

5	3	2	10
6	1	2	9
2	4	3	9
13	8	7	

가로줄에서
5+3+□=10, □=2
□+1+2=9, □=6
세로줄에서
3+1+□=8, □=4
[2]+2+□=7, □=3

8

4	1	2	7
2	5	8	15
9	6	4	19
15	12	14	

가로줄에서
□+1+2=7, □=4
2+5+□=15, □=8
세로줄에서
1+5+□=12, □=6
2+[8]+□=14, □=4

DAY 4

삼각형 안의 수

가로줄의 수의 합을 왼쪽 ▽ 안에, 세로줄의 수의 합을 △ 안에 써넣으세요.

1+5+4=10

3+4+5=12

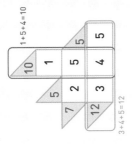

△의 위아래 잘 봐.
가로줄의 합인지
세로줄의 합인지
잘 구별해야 해.

❶

❷

❸

❹

❺

❻

DAY 5

가로로 퍼즐

✎ 1부터 9까지의 수를 사용하여 다음 가로로 퍼즐을 완성하세요. 단, 하나의 덧셈식에는 갈은 수를 여러 번 더할 수 없습니다.

① 같은 수를 두 번 더할 수 없으므로 2+2=4는 할 수 없습니다.
② 아래 칸에는 3을 넣을 수 없으므로 1을 세웁니다.

합을 보고 □ 안에 들어갈 수 있는 수를 넣는 가로로 퍼즐이라고 해.

❶

① 한 칸째리부터 채운 후 차례로 빈칸을 채웁니다.

❷

① 가로 1칸이므로 3입니다.
② 세로 합이 50이므로 2입니다.
③ 가로 합이 60이므로 남은 두 칸의 합이 4입니다. 따라서 1, 3이 들어갑니다. 이때 여기야 하느데 가운데 간에는 30 들어갈 수 없으므로 1을 씁니다.

---

pensées

❸

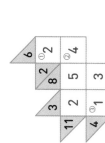

① 가로 1칸이므로 2입니다.
② 세로 합이 60이므로 4입니다.
③ 가로 합이 40이므로 1, 30 들어가는데 왼쪽 간에는 30 들어갈 수 없으므로 1을 씁니다.

❹

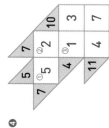

① 세로 1칸이므로 5입니다.
② 가로 합이 70이므로 2입니다.
③ 세로 합이 70이므로 남은 두 간의 합이 5입니다. 1, 2, 3은 들어갈 수 있으므로 1, 4가 들어가야 합니다. 가운데 간에는 4가 들어갈 수 없으므로 1을 씁니다.

❺

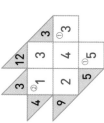

① 한 칸째리부터 채웁니다.
② 가로 합이 40이므로 1, 30 들어가는데 왼쪽 간에는 30 들어갈 수 없으므로 1을 씁니다.

❻

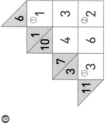

① 한 칸째리부터 채웁니다.
② 세로 합이 60이므로 남은 두 간의 합이 5입니다. 1, 4는 들어갈 수 있으므로 2, 30 들어갑니다. 아래 간에는 30 들어갈 수 없으므로 2를 씁니다.

✏️ 가로줄에 있는 수들의 합을 오른쪽에, 세로줄에 있는 수들의 합을 아래에 쓴 것입니다. 빈칸에 알맞은 수를 써넣으세요.

❶

4	2	5	11
1	7	3	11
9	4	4	17
14	13	12	

가로줄에서
4+2+□=11, □=5
1+□+3=11, □=7
□+4+4=17, □=9

❷

3	7	6	16
2	4	8	14
8	3	1	12
13	14	15	

가로줄에서
□+7+6=16, □=3
2+4+□=14, □=8

세로줄에서
7+4+□=14, □=3
6+⑧+□=15, □=1

✏️ 1부터 9까지의 수를 사용하여 다음 가로로 퍼즐을 완성하세요. 단, 하나의 덧셈식에 같은 수를 여러 번 더할 수 없습니다.

❸

9	5 ①1	1 3
	3 ②1	3
7	2	5

① 한 칸짜리부터 채웁니다.
② 가로 합이 9이므로 남은 두 칸의 합이 4입니다. 따라서 1, 3이 들어갑니다. 가운데 칸에는 3이 들어갑니다. 가운데 칸에는 같은 수 없으므로 1을 씁니다.

❹

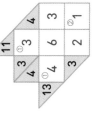

11	①3	3
4 ①4	6	②1
13	3 2	3

① 한 칸짜리부터 채웁니다.
② 세로 합이 4이므로 1, 3이 들어갑니다. 따라서 아래쪽 칸에는 3이 들어갑니다. 같은 수 없으므로 1을 씁니다.

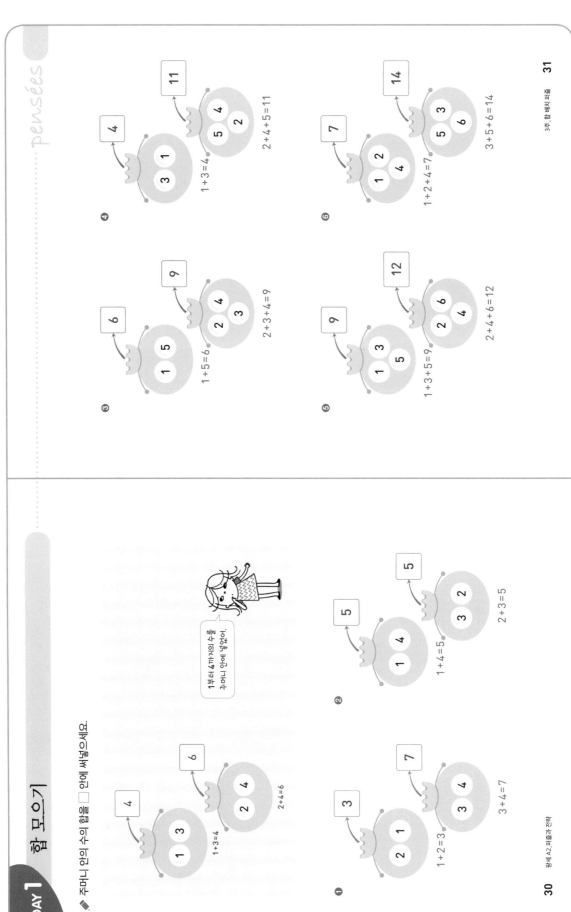

$2+4+5=11$

$1+3=4$

$3+5+6=14$

$1+2+4=7$

$2+3+4=9$

$1+5=6$

$2+4+6=12$

$1+3+5=9$

3주차 합 배치 퍼즐

DAY 1

합 모으기

✎ 주머니 안의 수의 합을 ☐ 안에 써넣으세요.

1부터 4까지의 수를
주머니 안에 넣어요.

$2+3=5$

$1+4=5$

$2+4=6$

$1+3=4$

$3+4=7$

$1+2=3$

DAY 2

3단 합 모으기

○ 안의 수는 선으로 이어진 수의 합입니다. ○ 안에 주어진 수를 한 번씩 써넣으세요.

| 1 | 2 | 3 | 4 | 5 | 6 |

1 — 2 — 3
(3) (5) (4)
3 — 5 — 6 (6)
8 **10**

먼저 1, 2를 순서 넣은 3, 4, 5, 6을
알맞게 써넣습니다.

합이 3이 되는 경우는
1 + 2 = 3뿐이야.

① 5를 써넣습니다.
② 남은 1, 2, 3, 4 중에서 합이 3인
경우는 1 + 2 = 3뿐입니다.

❶

| 1 | 2 | 3 | 4 | 5 |

② 1 — ② 2
(2) (4) (5)
3 — 4 — 5
3 **7** **5**

① 5를 써넣습니다.
② 남은 1, 2, 3, 4 중에서 합이 3인
경우는 1 + 2 = 3뿐입니다.

선으로 이어진 수의 위치가 바뀌어도 정답입니다.

❷

| 1 | 2 | 3 | 4 | 5 |

① 1 — ② 2
(3) (5) ①
3 — 4 — 5
4 **9** **2**

① 2를 써넣습니다.
② 남은 1, 3, 4, 5 중에서 합이 4인
경우는 1 + 3 = 4뿐입니다.

선으로 이어진 수의 위치가 바뀌어도 정답입니다.

32　명제 A2. 퍼즐과 전략

---

pensées

❸

| 1 | 2 | 3 | 4 | 5 | 6 |

① 1 — ② 3
(2) (4) (6)
3 — 4 — 5
3 **7** **11**

① 합이 3인 경우는 1 + 2 = 3뿐입니다.
② 3, 4, 5, 6 중에서 합이 7인 경우는
3 + 4 = 7뿐입니다.

❹

| 1 | 2 | 3 | 4 | 5 | 6 |

① 1 — ② 2
(3) (4) (6)
3 — 4 — 5
4 **6** **11**

① 합이 4인 경우는 1 + 3 = 4뿐입니다.
② 2, 4, 5, 6 중에서 합이 6인 경우는
2 + 4 = 6뿐입니다.

❺

| 1 | 2 | 3 | 4 | 5 | 6 |

① 1 — ② 2
(3) (5) (6)
3 — 4 — 5
4 **7** **10**

① 합이 4인 경우는 1 + 3 = 4뿐입니다.
② 2, 4, 5, 6 중에서 합이 7인 경우는
2 + 5 = 7뿐입니다.

선으로 이어진 수의 위치가 바뀌어도 정답입니다.

❻

| 1 | 2 | 3 | 4 | 5 | 6 |

① 1 — ② 2
(3) (6) (5)
3 — 4 — 5
4 **8** **9**

① 합이 4인 경우는 1 + 3 = 4뿐입니다.
② 2, 4, 5, 6 중에서 합이 8인 경우는
2 + 6 = 8뿐입니다.

선으로 이어진 수의 위치가 바뀌어도 정답입니다.

3주_합 배치 퍼즐　33

3주차

합 배치 퍼즐

십자합 배치

✏️ 한 줄에 있는 세 수의 합이 ☐ 안의 수가 되도록 주어진 수를 한 번씩 써넣으세요.

합이 9가 되는 세 수의 덧셈식을 2가지 나타내 봐.

9
1 2 3 4 5
1+3+5=9, 2+3+4=9
두 번 나온 수 3을 가운데에 씁니다.

❶ 8
1 2 3 4 5
1+2+5=8, 1+3+4=8
두 번 나온 수 1을 가운데에 씁니다.
이외에도 여러 가지 방법이 있습니다.

❷ 10
1 2 3 4 5
1+4+5=10, 2+3+5=10
두 번 나온 수 5를 가운데에 씁니다.
이외에도 여러 가지 방법이 있습니다.

❸ 15
1 3 5 7 9
1+5+9=15, 3+5+7=15
두 번 나온 수 5를 가운데에 씁니다.

❹ 17
1 3 5 7 9
1+7+9=15, 3+5+9=15
두 번 나온 수 9를 가운데에 씁니다.

❺ 16
2 4 6 8 10
2+4+10=16, 2+6+8=16
두 번 나온 수 2를 가운데에 씁니다.
이외에도 여러 가지 방법이 있습니다.

❻ 18
2 4 6 8 10
2+6+10=18, 4+6+8=18
두 번 나온 수 6을 가운데에 씁니다.
이외에도 여러 가지 방법이 있습니다.

DAY 4

육각합 배치

✎ 한 줄에 있는 세 수의 합이 ☐ 안의 수가 되도록 주어진 수를 한 번씩 써넣으세요.

일단 합이 12가 되는 세 수의 덧셈식을 모두 나타내 봐.

12

1+4+7=12, 2+4+6=12, 3+4+5=12,
1+5+6=12, 2+3+7=12
이 중 세 번 나온 수는 4뿐이므로 4를 가운데에 씁니다.

1 2 3 4 5 6 7

1+2+7=10
1+3+6=10
1+4+5=10

❶ **10**

1 2 3 4 5 6 7

1+6+7=14
2+5+7=14
3+4+7=14

❷ **14**

이외에도 여러 가지 방법이 있습니다.

---

❸ 1 2 3 5 7 8 9   **15**

1+5+9=15
2+5+8=15
3+5+7=15

❹ 1 3 4 5 7 8 9   **13**

1+3+9=13
1+4+8=13
1+5+7=13

❺ 2 3 4 5 6 7 8   **17**

2+7+8=17
3+6+8=17
4+5+8=17

❻ 3 4 5 6 7 8 9   **18**

3+6+9=18
4+6+8=18
5+6+7=18

이외에도 여러 가지 방법이 있습니다.

DAY 5 삼각합 배치

✎ 한 줄에 있는 세 수의 합이 ☐ 안의 수가 되도록 주어진 수를 한 번씩 써넣으세요.

합이 9가 되는 세 수의 덧셈식을 3가지 나타내 봐.

| 1 | 2 | 3 | 4 | 5 | 6 |

9

1+2+6=9, 1+3+5=9, 2+3+4=9
두 번 나온 수 1, 2, 3을 꼭짓점 ○ 안에 씁니다.

❶
| 1 | 2 | 3 | 4 | 5 | 6 |

10

1+3+6=10
1+4+5=10
2+3+5=10

❷
| 1 | 2 | 3 | 4 | 5 | 6 |

12

1+5+6=12
2+4+6=12
3+4+5=12

이외에도 여러 가지 방법이 있습니다.

❸
| 3 | 4 | 5 | 6 | 7 | 8 |

15

3+4+8=15
3+5+7=15
4+5+6=15

❹
| 3 | 4 | 5 | 6 | 7 | 8 |

16

3+5+8=16
3+6+7=16
4+5+7=16

❺
| 3 | 4 | 5 | 6 | 7 | 8 |

17

3+6+8=17
4+5+8=17
4+6+7=17

❻
| 3 | 4 | 5 | 6 | 7 | 8 |

18

3+7+8=18
4+6+8=18
5+6+7=18

이외에도 여러 가지 방법이 있습니다.

확인학습

선으로 이어진 수의 위치가 바뀌어도 정답입니다.

◆ ☐ 안의 수는 선으로 이어진 수의 합일 때, ○ 안에 주어진 수를 한 번씩 써넣으세요.

❶

1 2 3 4 5

① 5를 써넣습니다.
② 남은 1, 2, 3, 4 중에서 합이 4인
경우는 1+3=4뿐입니다.

❷

1 2 3 4 5 6

① 또는 ② 또는

① 합이 11이 되는 경우는 5+6=11뿐입니다.
② 1, 2, 3, 4 중에서 합이 5인 경우는
1+4=5, 2+3=5입니다.

◆ 한 줄에 있는 세 수의 합이 ☐ 안의 수가 되도록 주어진 수를 한 번씩 써넣으세요.

❸

1 2 3 5 6 7

10

1+2+7=10
1+3+6=10
2+3+5=10

❹

1 2 4 5 7 8

14

1+5+8=14
2+4+8=14
2+5+7=14

이외에도 여러 가지 방법이 있습니다.

4주차 논리 퍼즐

DAY 1

좋아하는 것 연결하기

성수, 정인, 민주는 다음 세 가지 중 서로 다른 하나를 좋아합니다. 좋아하는 것을 찾아 선으로 이어 보세요.

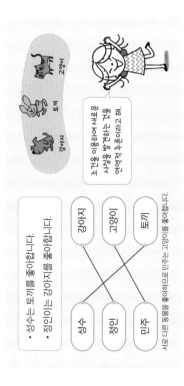

조건을 이용하여 서로와 사실을 잘 연관하는 것을 연역적 추론이라고 해.

- 성수는 토끼를 좋아합니다.
- 정인이는 강아지를 좋아합니다.

성수   정인   민주

강아지   고양이   토끼

서로 다른 동물을 좋아하므로 민주는 고양이를 좋아합니다.

❶

- 성수는 국어를 좋아합니다.
- 민주는 수학을 좋아합니다.

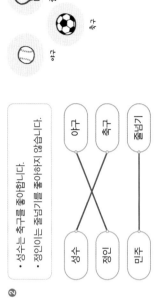

성수   정인   민주

수학   국어   음악

서로 다른 과목을 좋아하므로 정인이는 음악을 좋아합니다.

❷

- 성수는 축구를 좋아합니다.
- 정인이는 줄넘기를 좋아하지 않습니다.

성수   정인   민주

야구   축구   줄넘기

서로 다른 운동을 좋아하므로 정인이는 축구도 좋아하지 않습니다.
따라서 정인이는 야구를 좋아하고, 민주는 줄넘기를 좋아합니다.

❸

- 정인이는 시소를 좋아합니다.
- 민주는 그네를 좋아하지 않습니다.

성수   정인   민주

그네   미끄럼틀   시소

서로 다른 놀이 기구를 좋아하므로 민주는 시소도 좋아하지 않습니다.
따라서 민주는 미끄럼틀을 좋아하고, 성수는 그네를 좋아합니다.

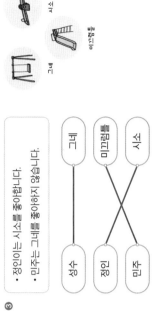

pensées

DAY 2

표를 보고 연결하기

승진, 다정, 소율이는 다음 세 가지 중 서로 다른 하나를 좋아합니다. 좋아하는 것에 ○표,
좋아하지 않는 것에 × 표 하고, 좋아하는 것을 찾아 선으로 이어 보세요.

<좋아하는 악기>

악기 이름	실로폰	피아노	기타
승진	×	×	○
다정	○	×	×
소율	×	○	×

실로폰 / 피아노 / 기타

승진 / 다정 / 소율

서로 다른 악기를
좋아하니까 ○ 표가 있는
가로·세로줄의 빈 곳에
모두 × 표를 해.

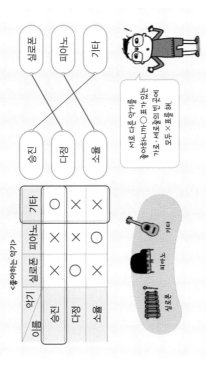

피아노 / 실로폰 / 기타

① **<좋아하는 장소>**

장소 이름	산	공원	수영장
승진	×	○	×
다정	×	×	×
소율	○	×	○

산 / 공원 / 수영장

승진 / 다정 / 소율

수영장 / 공원 / 산

○표가 있는 가로·세로줄의 빈칸에 ×표 합니다.

장소 이름	산	공원	수영장
승진	×		
다정		×	×
소율	×		

---

② **<좋아하는 장난감>**

장난감 이름	기차	로봇	자동차
승진	×	○	×
다정	×	×	○
소율	○	×	×

기차 / 로봇 / 자동차

승진 / 다정 / 소율

소율이는 남은 기차를 좋아합니다.

장난감 이름	기차	로봇	자동차
승진			×
다정			○
소율		×	×

③ **<좋아하는 색깔>**

색깔 이름	빨간색	노란색	흰색
승진	×	×	○
다정	○	×	×
소율	×	○	×

빨간색 / 노란색 / 흰색

승진 / 다정 / 소율

승진이는 남은 흰색을 좋아합니다.

색깔 이름	빨간색	노란색	흰색
승진	×		○
다정			×
소율			×

DAY 3 표 완성하기

아현, 신지, 지효는 다음 세 가지 중 서로 다른 하나를 좋아합니다. 좋아하는 것에 ○표, 좋아하지 않는 것에 ×표 하고, 좋아하는 것을 각각 구하세요.

<좋아하는 과일>

이름\과일	사과	딸기	꿀
아현	○	×	×
신지	×	×	○
지효	×	○	×

• 아현이는 딸기를 좋아하지 않습니다.
• 신지는 꿀을 좋아합니다.

딸기

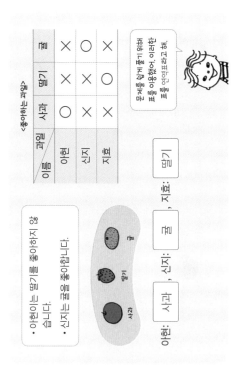

사과　딸기　꿀

아현: 사과 , 신지: 꿀 , 지효: 딸기

문제를 쉽게 풀기 위해 표를 이용했어. 이러한 표를 여섯 칸표라고 해.

❶

<좋아하는 음료>

이름\음료	주스	사이다	우유
아현	○	×	×
신지	×	×	○
지효	×	○	×

• 아현이는 주스를 좋아합니다.
• 지효는 우유를 좋아하지 않습니다.

사이다

주스　사이다　우유

아현: 주스 , 신지: 우유 , 지효: 사이다

pensées

❷

<좋아하는 옷>

이름\옷	반바지	청바지	치마
아현	○	×	×
신지	×	×	○
지효	×	○	×

• 아현이는 치마를 좋아하지 않습니다.
• 지효는 반바지와 치마를 좋아하지 않습니다.

치마

반바지　청바지　치마

아현: 반바지 , 신지: 치마 , 지효: 청바지

❸

<좋아하는 동물>

이름\동물	사자	앵무새	고슴도치
아현	×	×	○
신지	×	○	×
지효	○	×	×

• 아현이는 사자와 앵무새를 좋아하지 않습니다.
• 지효는 앵무새를 좋아하지 않습니다.

사자

사자　앵무새　고슴도치

아현: 고슴도치 , 신지: 앵무새 , 지효: 사자

DAY 4

표 만들기

현아, 영수, 지훈이는 다음 세 가지 중 서로 다른 하나를 좋아합니다. 표를 직접 만들어 물음에 답하세요.

피자   치킨   떡볶이

이번에는 표로 직접 만들어 문제를 해결해 보자.

1   5   7

①

• 현아는 치킨을 좋아하지 않습니다.
• 영수는 떡볶이를 좋아합니다.

<좋아하는 음식>

이름＼음식	피자	치킨	떡볶이
현아	O	X	X
영수	X	X	O
지훈	X	O	X

지훈이가 좋아하는 음식은 무엇입니까?

[치킨]

②

• 영수는 5를 좋아하지 않습니다.
• 지훈이는 1과 5를 좋아하지 않습니다.

<좋아하는 숫자>

이름＼숫자	1	5	7
현아	X	O	X
영수	O	X	X
지훈	X	X	O

영수가 좋아하는 숫자는 무엇입니까?

[1]

야구   농구   태권도   봄   여름   겨울

②

• 현아는 태권도를 좋아합니다.
• 영수는 야구를 좋아하지 않습니다.

<좋아하는 운동>

이름＼운동	야구	태권도	농구
현아	X	O	X
영수	X	X	O
지훈	O	X	X

지훈이가 좋아하는 운동은 무엇입니까?

[야구]

③

• 현아와 영수는 모두 봄을 좋아하지 않습니다.
• 현아는 여름을 좋아하지 않습니다.

<좋아하는 계절>

이름＼계절	봄	여름	겨울
현아	X	X	O
영수	X	O	X
지훈	O	X	X

영수가 좋아하는 계절은 무엇입니까?

[여름]

4주차 논리 퍼즐

DAY 5

숨은 뜻 찾기

수진, 혜승, 유미는 다음 세 가지 중 서로 다른 하나를 좋아합니다. 표를 직접 만들어 좋아하는 것을 각각 구하세요.

①

- 수진이는 파란색을 좋아하는 사람보다 키가 큽니다.
- 혜승이는 빨간색, 파란색을 좋아하는 사람과 함께 미술 학원에 다닙니다.

> 수진이도 파란색을 좋아하는 사람이 아니라는 것을 알 수 있어.

<좋아하는 색깔>

색깔 \ 이름	빨간색	파란색	노란색
수진	O	X	X
혜승	X	X	O
유미	X	O	X

수진: 빨간색 , 혜승: 노란색 , 유미: 파란색

②

- 수진이는 복숭아를 좋아하는 친구와 다른 반입니다.
- 유미는 복숭아, 포도를 좋아하는 친구들과 같은 미술 학원을 다닙니다.

<좋아하는 과일>

과일 \ 이름	포도	바나나	복숭아
수진	O	X	X
혜승	X	X	O
유미	X	O	X

수진: 포도 , 혜승: 복숭아 , 유미: 바나나

포도 / 바나나 / 복숭아

③

- 수진이는 국어, 미술을 좋아하는 친구들과 같이 숙제를 했습니다.
- 혜승이는 미술을 좋아하는 친구의 옆집에 삽니다.

<좋아하는 과목>

과목 \ 이름	국어	체육	미술
수진	X	O	X
혜승	O	X	X
유미	X	X	O

수진: 체육 , 혜승: 국어 , 유미: 미술

구어 / 체육 / 미술

- 수진이는 김밥을 좋아하는 사람보다 한 살 더 많습니다.
- 유미는 자장면, 김밥을 좋아하는 사람보다 키가 큽니다.

<좋아하는 음식>

음식 \ 이름	김치	김밥	자장면
수진	X	X	O
혜승	X	O	X
유미	O	X	X

수진: 자장면 , 혜승: 김밥 , 유미: 김치

김치 / 김밥 / 자장면

pensées

확인학습

① 유나, 수열, 지석이는 혈액형이 A형, B형, O형 중 서로 다른 하나입니다. 표를 직접 만들어 유나의 혈액형을 구하세요.

- 유나는 A형이 아닙니다.
- 수열이는 O형입니다.

<친구들의 혈액형>

이름＼혈액형	A형	B형	O형
유나	X	O	X
수열	X	X	O
지석	O	X	X

B형

② 하영, 영훈, 호근이는 산, 바다, 공원 중 서로 다른 한 곳을 가 보고 싶어합니다. 표를 직접 만들어 가 보고 싶은 장소를 각각 구하세요.

- 하영이는 공원을 가고 싶은 친구보다 나이가 많습니다.
- 호근이는 바다, 공원을 가고 싶은 친구들과 어제 같이 놀았습니다.

<가 보고 싶은 장소>

이름＼장소	산	바다	공원
하영	X	O	X
영훈	X	X	O
호근	O	X	X

하영: 바다 , 영훈: 공원 , 호근: 산

TEST 1
마무리 평가

pensées
제한 시간　15분
맞은 개수　/7개

❖ 다음 노노그램을 완성하세요.

❶

	③	③	③
	1	2	2
①3			
②0	×	×	
2		×	×

① 3은 세 칸 모두 색칠합니다.
② 0은 세 칸 모두 ×표 합니다.
③ 수에 맞게 색칠하거나 ×표 합니다.

❷

	①	②
	0	1	2
①0	×	×	×
②2			×
1		×	

① 0은 세 칸 모두 ×표 합니다.
② ×표 한 칸을 제외한 두 칸에
모두 색칠합니다.

❖ 가로줄에 있는 수들의 합을 오른쪽에, 세로줄에 있는 수들의 합을 아래에 쓴 것입니다.
빈칸에 알맞은 수를 써넣으세요.

❸

9	2	1	12
3	5	8	16
4	3	6	13
16	10	15	

가로줄에서
9 + ☐ + 1 = 12, ☐ = 2
3 + 5 + ☐ = 16, ☐ = 8
☐ + 3 + 6 = 13, ☐ = 4

❹

5	7	4	16
2	8	3	13
6	2	9	17
13	17	16	

가로줄에서
☐ + 7 + 4 = 16, ☐ = 5
2 + 8 + ☐ = 13, ☐ = 3
세로줄에서
5 + 2 + ☐ = 13, ☐ = 6
7 + 8 + ☐ = 17, ☐ = 2

❖ 한 줄에 있는 세 수의 합이 ☐ 안의 수가 되도록 주어진 수를 한 번씩 써넣으세요.

❺ 2 3 4 5 6 7

```
        5
      3
    4   2   7
  6
```

2 + 6 + 7 = 15
3 + 5 + 7 = 15
4 + 5 + 6 = 15

☐ 15

❻ 4 5 6 7 8 9

```
        4
      9   7
    6   5   8
```

4 + 6 + 9 = 19
4 + 7 + 8 = 19
5 + 6 + 8 = 19

☐ 19

❖ 연서, 지수, 승현이는 수요일, 금요일, 토요일 중 서로 다른 하나를 좋아합니다. 표를 직접 만들어 지수가 좋아하는 요일을 구하세요.

• 지수는 금요일을 좋아하지 않습니다.
• 승현이는 수요일과 금요일을 좋아하지 않습니다.

❼

< 좋아하는 요일 >

이름\요일	수요일	금요일	토요일
연서	×	○	×
지수	○	×	×
승현	×	×	○

☐ 수요일

TEST 2

마무리 평가

❖ 색칠된 칸끼리 한 번에 연결되도록 노노그램을 완성하세요. 색칠된 두 칸은 시작 칸과 끝 칸입니다.

❶

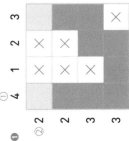

① 4는 네 칸 모두 색칠합니다.
② 색칠된 칸을 제외한 두 칸에 모두 ×표 합니다. 색칠한 칸이 한 번에 연결되도록 합니다.

❷

① 0은 네 칸 모두 ×표 합니다.
② 왼쪽 두 칸만 색칠합니다.
③ ×표 한 칸을 제외한 세 칸 모두 색칠합니다. 색칠한 칸이 한 번에 연결되도록 마무리합니다.

❖ 1부터 9까지의 수를 사용하여 다음 가로 퍼즐을 완성하세요. 단, 하나의 덧셈식에 같은 수를 여러 번 더할 수 없습니다.

❸

① 한 칸짜리부터 채웁니다.
② 세로 합이 40이므로 1, 30 들어갑니다. 아래 칸에는 30 들어갈 수 없으므로 1을 씁니다.

❹

① 세로 합이 40이므로 1, 30 들어갑니다. 아래 칸에는 30 들어갈 수 없으므로 1을 씁니다.
② 가로 남은 두 칸의 합이 30이므로 1, 2가 들어갑니다. 오른쪽 칸에는 27 들어갈 수 없으므로 1을 씁니다.

❖ 선으로 이어진 수의 위치가 바뀌어도 정답입니다.

❖ ☐ 안의 수는 선으로 이어진 수의 합입니다. ○ 안에 주어진 수를 한 번씩 써넣으세요.

❺

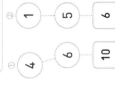

1 2 3 4 5

① 4를 써넣습니다.
② 남은 1, 2, 3, 5 중에서 합이 3인 경우는 1+2=3뿐입니다.

❻

1 2 3 4 5 6

① 합이 10이 되는 경우는 4+6=10 뿐입니다.
② 남은 1, 2, 3, 5 중에서 합이 6인 경우는 1+5=6뿐입니다.

❖ 유진, 재석, 종인이는 강아지, 고양이, 고슴도치 중 서로 다른 하나를 기릅니다. 기르는 동물에 ○표, 기르지 않는 동물에 ×표 하고, 알맞은 것을 찾아 선으로 이어 보세요.

❼

<기르고 있는 동물>

이름 \ 동물	강아지	고양이	고슴도치
유진	×	○	×
재석	×	×	○
종인	○	×	×

유진   강아지
재석   고양이
종인   고슴도치

TEST 3

마무리 평가

제한 시간 15분
맞은 개수 /7개
pensées

❖ 다음 노그램을 완성하세요.

❶

① 0은 네 칸 모두 ×표 합니다.
② ×표 한 칸을 제외한 세 칸에 모두 색칠합니다.

① 4는 네 칸 모두 색칠합니다.
② 색칠한 칸을 제외한 남은 세 칸에 모두 ×표 합니다.

❖ 가로줄에 있는 수들의 합을 오른쪽에, 세로줄에 있는 수들의 합을 아래쪽에 쓴 것입니다.

❸

1	7	X	8
8	X	9	17
X	3	4	7
9	10	13	

❖ 합이 바르게 되도록 지워야 할 매트릭스 안의 수에 ×표 하세요.

❹

X	8	7	15
6	2	X	8
5	X	7	12
11	10	14	

❖ 한 줄에 있는 세 수의 합이 ☐ 안의 수가 되도록 주어진 수를 한 번씩 써넣으세요.

❺

3 4 5 6 7

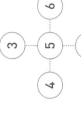

14

3+4+7=14, 3+5+6=14
두 번 나온 수 3을 가운데에 씁니다.

❻

3 4 5 6 7

15

3+5+7=15, 4+5+6=15
두 번 나온 수 5를 가운데에 씁니다.
이외에도 여러 가지 방법이 있습니다.

❖ 천원, 희정, 문주는 드라마, 스포츠, 만화 중 서로 다른 하나를 좋아합니다. 좋아하는 것에 ○표, 좋아하지 않는 것에 ×표 하고, 좋아하는 것을 각각 구하세요.

• 천원이는 스포츠를 좋아하지 않습니다.
• 문주는 드라마와 스포츠를 좋아하지 않습니다.

❼

<좋아하는 TV 프로그램>

프로그램\n이름	드라마	스포츠	만화
천원	○	×	×
희정	×	○	×
문주	×	×	○

천원: 드라마
희정: 스포츠
문주: 만화

TEST 4 # 마무리 평가

제한 시간 15분
맞은 개수 / 7개

✤ 가로, 세로로 주어진 수만큼 칸을 지나 미로를 탈출하세요. 한 번 지난 칸은 다시 지날 수 없고, 색칠된 칸은 모두 지나가야 합니다.

❶
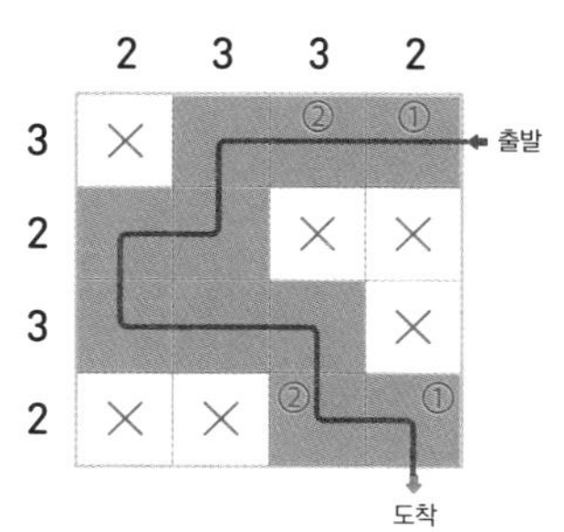

① 출발, 도착 칸이므로 이 칸을 반드시 지나야 합니다. 세로로 남은 두 칸에 ×표 합니다.
② 길이 연결되어야 하므로 이 칸은 반드시 지나야 합니다.

❷
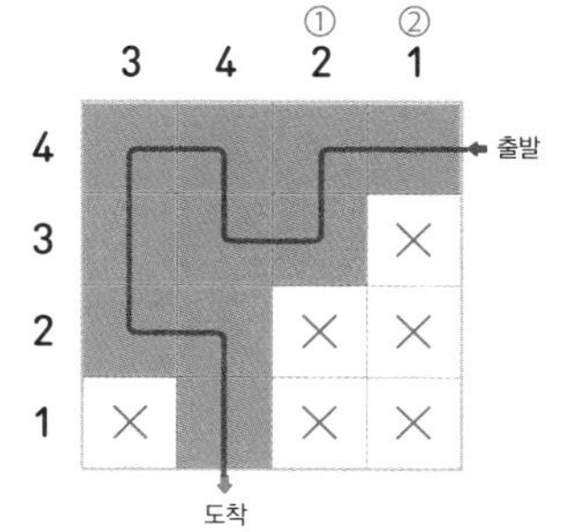

① 4칸 모두 색칠합니다.
② 색칠한 칸을 제외한 남은 세 칸에 모두 ×표 합니다.

✤ 가로줄에 있는 수들의 합을 오른쪽에, 세로줄에 있는 수들의 합을 아래에 쓴 것입니다. 빈칸에 알맞은 수를 써넣으세요.

❸

3	7	10
9	8	17
12	15	

가로줄에서
□+7=10, □=3
9+□=17, □=8

❹

4	9	3	16
6	5	1	12
8	2	7	17
18	16	11	

가로줄에서
4+9+□=16, □=3
□+5+1=12, □=6
세로줄에서
9+5+□=16, □=2
3+1+□=11, □=7

이외에도 여러 가지 방법이 있습니다.

✤ 한 줄에 있는 세 수의 합이 □ 안의 수가 되도록 주어진 수를 한 번씩 써넣으세요.

❺ 2 3 4 5 6 7 8

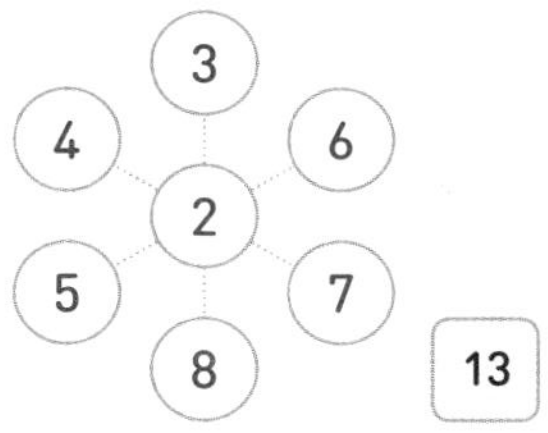

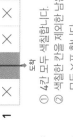

2+3+8=13
2+4+7=13
2+5+6=13

❻ 2 3 4 5 6 7 8

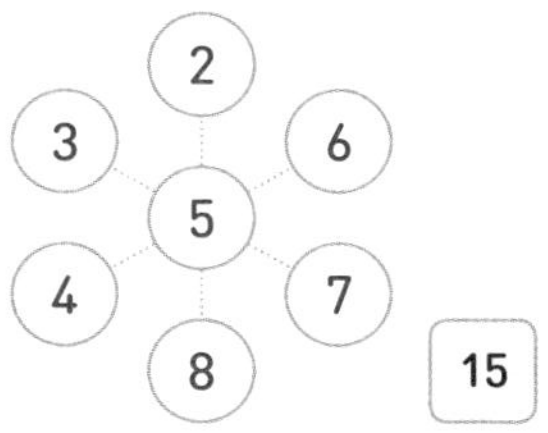

2+5+8=15
3+5+7=15
4+5+6=15

✤ 성민, 기석, 진호는 1반, 2반, 3반 중 서로 다른 반입니다. 맞는 반에 ○표, 틀린 반에 ×표 하고, 각각 몇 반인지 구하세요.

❼
- 성민이는 2반이 아닙니다.
- 진호는 2반이 아닙니다.
- 성민이는 3반도 아닙니다.

<친구들의 반>

이름 \ 반	1반	2반	3반
성민	○	×	×
기석	×	○	×
진호	×	×	○

성민: 1반
기석: 2반
진호: 3반

TEST 5
마무리 평가

❖ 다음 노그램을 완성하세요.

①

	3	2	4	2
①4				
①4				
②1	X			X
2		X	X	

① 4는 네 칸 모두 색칠합니다.
② 색칠한 칸을 제외한 남은 세 칸에 모두 X표 합니다.

②

	1	③0	2
1	X	X	X
②3			
2			X
①	X		

① 0은 네 칸 모두 X표 합니다.
② X표 한 칸을 제외한 세 칸에 모두 색칠합니다.

❖ 1부터 9까지의 수를 사용하여 다음 가루로 퍼즐을 완성하세요. 단, 하나의 덧셈식에 갈 은 수를 여러 번 답할 수 없습니다.

③

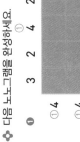

① 한 칸짜리부터 채웁니다.

④

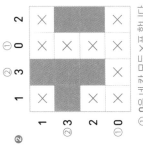

① 한 칸짜리부터 채웁니다.
② 가로 합이 30이므로 1, 2가 들어갑니다. 오른쪽 칸에는 1이 들어갈 수 없으므로 2를 씁니다. (1이 들어가면 세로줄로 5가 중복되기 때문입니다.)

❖ 한 줄에 있는 세 수의 합이 □ 안의 수가 되도록 주어진 수를 한 번씩 써넣으세요.

⑤ 13   1 3 5 7 9

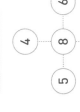

1+3+9=13, 1+5+7=13
두 번 나온 수 1을 가운데에 씁니다.

⑥ 19   4 5 6 7 8

4+7+8=19, 5+6+8=19
두 번 나온 수 8을 가운데에 씁니다.
이외에도 여러 가지 방법이 있습니다.

⑦ 사랑, 태민, 담비는 기타, 피아노, 바이올린 중 서로 다른 악기 한 가지를 연주할 수 있습니다. 표를 직접 만들어 연주할 수 있는 악기를 각각 구하세요.

- 사랑이는 피아노 연주 대회에서 상을 받았습니다.
- 태민이는 기타를 연주할 수 있는 친구와 친합니다.

<연주할 수 있는 악기>

악기\이름	기타	피아노	바이올린
사랑	X	O	X
태민	X	X	O
담비	O	X	X

사랑: 피아노
태민: 바이올린
담비: 기타

pensées

pensées

지식과상상 연구소 since 2013
교재 소개 및 난이도 안내

*일부 교재 출시 예정입니다.

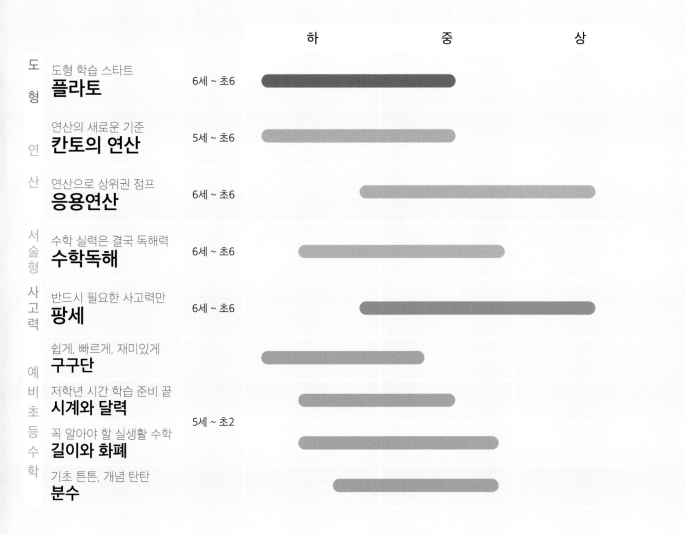

		하	중	상
도형	도형 학습 스타트 **플라토**	6세 ~ 초6		
연산	연산의 새로운 기준 **칸토의 연산**	5세 ~ 초6		
	연산으로 상위권 점프 **응용연산**	6세 ~ 초6		
서술형	수학 실력은 결국 독해력 **수학독해**	6세 ~ 초6		
사고력	반드시 필요한 사고력만 **팡세**	6세 ~ 초6		
예비초등수학	쉽게, 빠르게, 재미있게 **구구단**	5세 ~ 초2		
	저학년 시간 학습 준비 끝 **시계와 달력**			
	꼭 알아야 할 실생활 수학 **길이와 화폐**			
	기초 튼튼, 개념 탄탄 **분수**			

Man is but a reed,
the most feeble thing in nature;
but he is a thinking reed,

"인간은 자연에서 가장 연약한 갈대에 불과하다.
하지만 인간은 생각하는 갈대이다."

Blaise Pascal, 블레즈 파스칼